自然に学ぶ

白川英樹
Shirakawa Hideki

法藏館

よく観察し
よく記録し
よく調べ
そしてよく考えよう

白川英樹

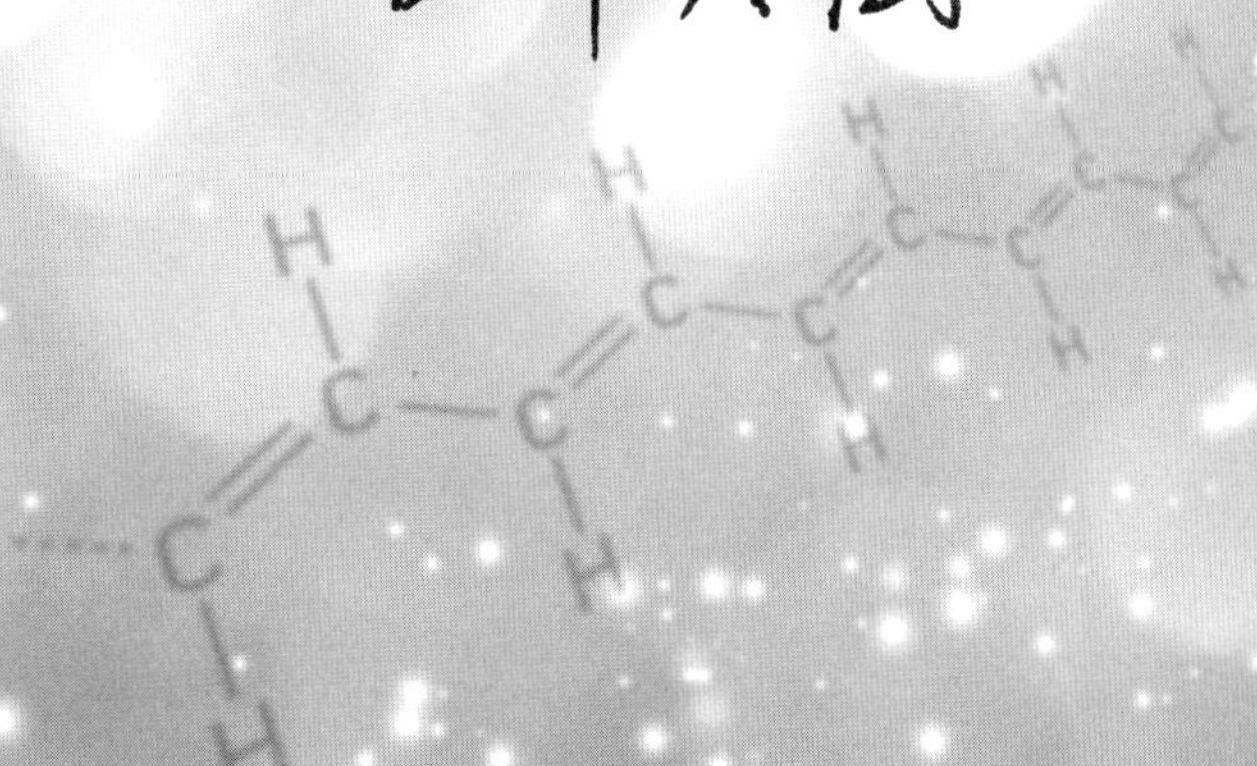

目次

1 自然に学ぶ

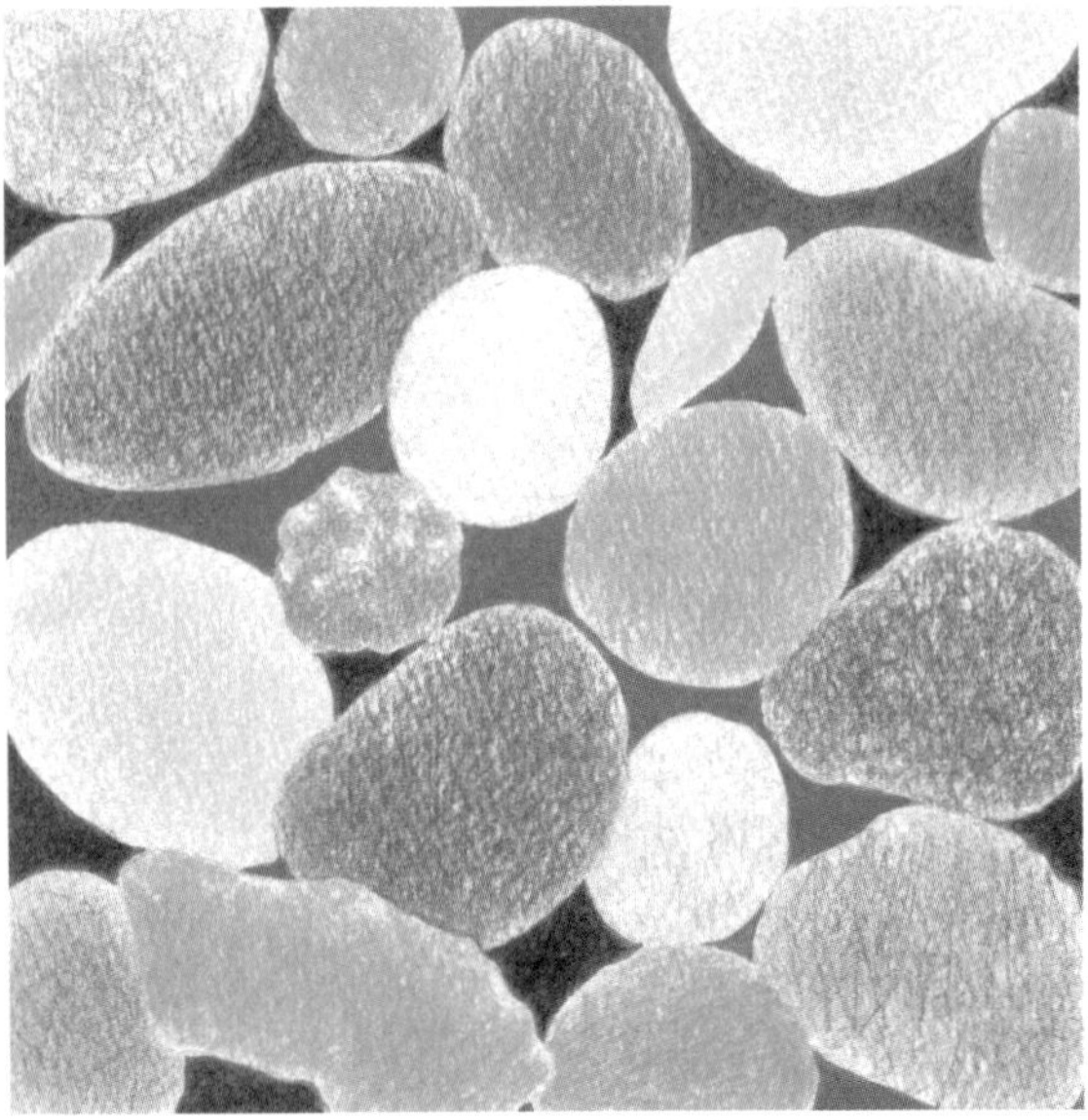

「はじまり」

化学の楽しさ体験

百見は一実験に如かず

二〇一六年四月一六日付

二〇〇〇年三月に大学を停年で退いてからは教育・研究活動をしていない。その代わりに子どもたちや社会人に化学実験の面白《おもしろ》さを味わってほしいと願って、各地で実験教室を開催したり、実験テーマを開発したりすることに力を入れている。この活動は文部科学省が提唱《ていしょう》する「研究成果の社会還元」の一環でもあるが、好きな化学実験から離れたくないのが本音である。要望があれば日本国内はもとより海外でも実施している。

大勢の人の前で実験を見せる演示《えんじ》実験よりも、参加者の一人ひとりが手を動かし頭を使って実験の楽しさを味わってほしいと願っている。演示実験ならば数百人規模でも可能だが、一人ひとりが実験するとなると、化学実験室の大きさの制限があるので二〇人から三〇人、多くても五〇人ほどが限度だ。演示実験とくらべるととても効率が悪いが、「百聞《ひゃくぶん》は一見《いっけん》に如《し》かず」をもじった「百見は一実験に如かず」を標榜《ひょうぼう》して実験を指導している。一〇〇回演示実験を見るより一回でも自分自身で実験を試みたほうが、はるかに化学の不思議《ふしぎ》や面白《おもしろ》さ、楽しさを体験できるし、理解も深まると確信しているからである。

定期的に行っている実験教室の一つに、東京のお台場《だいば》にある日本科学未来館の特別実験教室がある。四月と八月を除く毎月一回開催している。小学五年生以上の二〇人が定員で、親子の参加も可能である。実験テーマは現役時代に大学で研究を続けた電気を通すプラスチックの実験で、合成と応用を組み合わせている。小学生から大人まで、年齢にかかわらず参加者の皆さんには実験を楽しんでもらっているが、参加者の中でとりわけ目を輝かせて一心不乱《いっしんふらん》に実験に取り組んでいるのが小学五・六年生たちである。
　実験が終わってから簡単なアンケートに答えてもらうことにしている。小学生の多くは手を動かして行う実験は楽しかったと答えてくれるが、その一方で私の話は難しくて分からなかったとも答えている。化学の実験だから日常生活では聞きなれない化学用語をたくさん使わなければならない。試験管《しけんかん》やビーカーなどの実験器具、アルコールや食塩などの薬品、プラスチックやポリエチレンなどの物質の名称を知らない小学生はいないだろうが、可能な限り分かりやすく話すとしても、重合反応《じゅうごうはんのう》や触媒《しょくばい》などの日常生活になじみのない用語を使わざるを得ない。

　毎回のことだがアンケートの回答で気になることが一つある。実験教室に参加した理由や目的欄への記入である。小学生の回答には「導電性《どうでんせい》プラスチックというものに興味があったから」、「導伝《ママ》性プラスチックをつくりたかったから」などと記入する目的意識の高い子どもたちがいる一方で、「お母さんが申し込んだから」と答える小学生が少なくない。だからといっていやいや実験をしている様子はなく、夢中になって取り組んでいる様子を見ていると、教育ママも時には良い機会を子どもに与えていると感じる。難しすぎて実験内容を十分に理解できなくても、大きくなってからあの実験はこういうことだったのだと思い出してもらえばよい。親が子どもの意向を無視して勝手に申し込んだとしても、子どもにとってはよい機会になることもあると思う。

親が子どもの健《すこ》やかな成長を願って対応する場面はさまざまである。何にでも興味を抱く子どもは、たとえば、下校の道すがら道路脇に落ちている砂利《じゃり》の中から形のよい小石や美しい色の小石を見つけ、大切な宝物としてポケットをふくらませて家に持ち帰ることもある。自分自身もそうだったのでその気持ちはよく分かる。

こんな時に母親はどんな反応をするだろうか。「そんな汚《きたな》いものを拾《ひろ》ってきたら駄目《だめ》よ。ズボンが汚《よご》れるでしょ。すぐ捨ててきなさい」と小言《こごと》を言うか、「まあ、きれいな石を見つけたのね。何という名前の石でしょう」と、ほめて励《はげ》ますかの違いが、のちのち子どもの成長にどれだけの差を生むかを考えてみたい。

「はるかぜ」

理系も文系もない

好奇心豊かな子に育てて

二〇一六年五月一七日付

今から一五年以上も前のことである。二〇〇〇年一〇月一〇日の夜、ノーベル財団から二〇〇〇年度ノーベル化学賞受賞者の発表があり、思いがけず米国の共同受賞者二人とともに受賞の栄誉《えいよ》にあずかった。ノーベル賞の受賞は科学者の一人としてこの上ない名誉《めいよ》であることは間《ま》違《ちが》いないが、その一方で気がかりな面もあり、その心配はすぐに現実のものとなった。

日本人で最初の化学賞受賞者となった福井謙一《ふくいけんいち》先生（一九一八〜九八）から数えて二〇年ぶり二人目、自然科学三賞では直近に生理・医学賞を受賞した利根川進《とねがわすすむ》先生（一九三九〜）以来一四年ぶりのことだったので、深夜にもかかわらず発表の直後から報道機関による取材の嵐に見舞《みま》われた。加えて授賞候補のリストに載《の》ったこともなく、世間では下馬評《げばひょう》にさえ上がらなかったこともあって取材に拍車《はくしゃ》がかかったのだろう。

このままではいつまでたっても取材の嵐は収まらないと思い、少しでも私のことを知っていただくために簡単な生《お》い立《た》ちと化学が好きになったきっかけ、化学の中でもなぜプラスチックの研究をすることになったのかなどを記した三〇〇〇字ほどの手記をある新聞社に寄稿した。この手記は拙著『私の歩んだ道―ノーベル化学賞の発想―』（朝日選書６７０）にそのまま転載《てんさい》したので読んでいただけるだろう。

この手記の終わりを「子供たちの理科離れが心配されているが、子供たちの多くは生来理科好きで科学に十分に興味をもっている。それを伸ばすのは大人の責任である」と結んだ。多くの方々から賛同《さんどう》の便《たよ》りをいただいたなかで、一人だけ岐阜県の女子中学生が「私は理科が嫌いです。先生の話はよく理解できますが、子供だからといって理科好きとは限りません」と手紙に書いてきた。

中学生が日刊紙を読んでいることに驚くと同時に、自分の意見を率直《そっちょく》に手紙にしたためる勇気にいたく感心した。確かにこの中学生が言うとおり、理科が好きな子もいれば、じっと座って本を読むことが好きな子もいるし、絵を描《か》くのが好きな子もいるだろう。結びの部分は「子どもたちはどんなことにでも興味を示す能力をもっている。豊かな好奇心《こうきしん》を育《はぐく》むのは大人の責任である」と書くべきであったと反省している。

世の中では人を「文系人間」と「理系人間」に単純に分けて見なす風潮《ふうちょう》があり、大学へ進学する前から、多くの高等学校では文系と理系に分けた教育が行われているのが現状である。理系の科目が好きだから理系を選ぶ生徒がいる一方で、理系の科目が嫌いだから文系を選ぶという生徒もいる。逆に文系が好きだから文系を選び、嫌いだから理系を選ぶ場合もあるかもしれない。現状では二者択一《にしゃたくいつ》しかない。理系も文系も好きだという人もいた場合にそのような生徒は受け入れないとする社会的傾向があるのではないだろうか。

肯定的《こうてい》に選択した場合には好きだという動機があるから、自発的に学ぶという姿勢がおのずから生まれるだろう。問題は嫌いだから反対を選ぶという選択である。もう一つ問題がある。有名な学校に入ることだけが目的で、有名な学校に入ったことでその人が評価されるという社会的風潮がある。名前が通った小・中・高校を経て、より有名な大学に入ればよりよい将来が保証されるという幻想《げんそう》が社会全般に広がってはいないだろうか。

高等教育では理系は理系の科目だけ、文系は文系の科目だけを学べばよいのだろうか。大学では理系と文系を統合した教養教育（リベラルアーツ教育）が極《きわ》めて重要だと考えている。その教養教育の基礎となる初等・中等教育では理系・文系の区別はあってはならない。

科学・技術の発展には自然科学の教育が必須《ひっす》だが、それだけでは駄目《だめ》で人文学や社会科学、さらには芸術などの教育も欠かせない。人間この世に生まれて、何に対してもまったくもたない人はいない。

その証拠《しょうこ》に幼い子どもが、見るもの、聞くもの、触れるものなど、何事《なにごと》に対しても、両親や周囲の人々を困《こま》らせるほど「あれは何?」「これは何?」「なぜ?」「どうして?」という問いを連発する時期がある。この好奇心を維持《いじ》し、どれだけ豊かに育てるかは、親や周囲の人々がどのように答えていくかによって決まるのではないかと思う。この時期の幼い子どもはもちろんのこと、初等・中等教育を受ける子どもたちには理系も文系もない。

「まど」

「象牙の塔」として
基礎研究は大学の役割

二〇一六年六月一八日付

敗戦《はいせん》も間近な昭和一九年（一九四四）、母と私たち子ども五人の家族は満洲《まんしゅう》（現中国東北部）から引き揚げ、父の知人を頼《たよ》って京都府宇治《うじ》を仮住《かりず》まいとした。大都市に住む多くの児童が空襲《くうしゅう》を避けて地方に疎開《そかい》するなかを、落ち着く間もなく弟と私の二人は東京の東大本郷《ほんごう》キャンパス近くに住む父方の祖父の家に預《あず》けられた。身一つで本土に戻った母には五人の子どもと一緒に暮らす余裕はなく、苦渋《くじゅう》の決断だっただろう。私が小学二年生の一時期のことである。

祖父は私たちを連れて近隣を散歩するのが好きだった。道すがら、迷子《まいご》になったときに東大の赤門がよい目印になることを教えてくれたのを、よく覚えている。「万一迷子になったら一九番の電車に乗って赤い門が見えたらそこで降りなさい」と。今は線路の痕跡《こんせき》も残っていないが、当時は日本橋と王子を結ぶ路面電車で、東大の本郷キャンパスに沿《そ》った本郷通りを行き交《か》っていた。

その赤門を右に見ながら本郷通りを北に向かって歩くと正門、農学部正門と続く。祖父の家は農学部正門の前を左に曲がり旧白山《はくさん》通りに入って少し歩くと左側にあった。初めて大学という存在を知った私は、石造りの垣根《かきね》越しに見える大きな建物やうっそうと茂《しげ》る木々に圧倒《あっとう》されるばかりで、大学とはなんといかめしく近寄りがたい所だろうと感じた。とりわけ正門越しに見える高くそびえた安田講堂《やすだこうどう》の時計台は、当時は知る由《よし》もない「象牙《ぞうげ》の塔《とう》」という言葉を知っていたら、まさにその通りだと思ったに違いない。

大学に在職中、企業とりわけ中小企業の経営者や技術者から、大学という所は敷居《しきい》が高くて近寄りがたいと聞かされることが多かったが、「象牙の塔」のなごりだったのだろうか。「赤門」

の経験から七〇年余を経た今日、大学を「象牙の塔」などという人はいなくなった。

少子化《しょうしか》の傾向が続く一方、総定員数も増えたので、希望すれば誰でも大学に入学できる時代になった。国公私立を問わずどの大学も学生獲得《かくとく》競争を勝ち抜くために、これまで以上に特色のある教育や研究に取り組むようになったのは、喜ばしいことである。大学の役割の中で、少なくとも教育に関しては、社会に対して大学がその門戸《もんこ》を広げる努力を行うようになってきた。

しかし、研究面ではどうだろうか？　それぞれの大学で名称こそ違うが、ほとんどの大学に産学協同《さんがくきょうどう》あるいは産学連携《れんけい》センターに相当する部局《ぶきょく》が設置され、民間企業との連携のための窓口となっている。インターネットのホームページも充実したものになり、企業側がその気になれば、大学や学者・研究者を知らなくとも、相談に乗ってもらうことや技術移転を受けることが可能になってきた。

二〇〇四年の法人化以降、国立大学へ政府から交付される運営費交付金《うんえいひこうふきん》は、毎年、対前年度比一パーセントの削減《さくげん》が実施され、一五年度は当初の八八パーセントまで減少するに至っている。不足分を補うために企業との共同研究や技術移転、民間からの寄付を仰ぎ、研究費や運営費を調達《ちょうたつ》しなければならなくなった。いきおい大学での研究は短期的に成果が上がり、役に立つ応用研究ばかりが目立ち、基礎研究が軽視《けいし》されるようになった。

基礎研究は研究者の個人的な好奇心《こうきしん》や探究心《たんきゅうしん》に端《たん》を発するとはいえ、その成果は真理の探究や学問の発展に寄与《きよ》するばかりでなく、私たちの知的好奇心を満たす人類の知的資産そのものであり、大学だけでしかできない。

この点からあえて誤解を恐れずに言うと、大学の役割の一部は「象牙の塔」でもあると主張したい。本来この言葉が意味する「現実の社会と没交渉《ぼつこうしょう》で行う研究のための研究の場」ではなくて、「すぐに役に立つことはないが真理を探究し私たちの知的好奇心を満たす研究を行う場」を「象牙の塔」と言いたい。

義務教育費を国民が税金として等しく負担しているように、国民が等しく知的好奇心を享受《きょうじゅ》する点で、基礎研究に要する研究費もその一部は税金から賄《まかな》われてしかるべきである。基礎研究の大切さを大学と研究者は分かりやすく国民に説明し、理解を求め続けてこそ、研究面でも大学は社会に開かれた存在になると思っている。

「ミレーの頃から」

科学技術の功罪

人々の理解度が重要に

二〇一六年七月一六日付

中学生の時、授業に「職業」という必修科目があり農業、商業、工業の中から二つを選択することになっていた。小学生高学年のころから植物採集や昆虫採集、鉱石《こうせき》ラジオの組み立てなどに夢中だったし、草花を栽培《さいばい》するのが好きだったこともあって、ためらうことなく工業と農業を選んだ。

農業の時間に習ったことで今でも鮮明に覚えているのは、「リービッヒの最小律《さいしょうりつ》」とそれを分かりやすく説明するための「リービッヒの肥料桶《ひりょうおけ》」である。先生は肥料の三要素である窒素《ちっそ》、リン酸《さん》、カリのバランスがいかに重要であるかを、農作物に施《ほどこ》す三要素の量に比例《ひれい》する長さの違う三枚の側板《がわいた》でできた木桶を黒板《こくばん》に描いて説明してくださった。この桶に水（肥料）を入れると、水は最も短い側板からあふれ出るので、桶に入る水の量はこの側板の長さで決まってしまい、それ以上の水（他の二要素）を加えても、農作物は与えた全部の肥料を有効に吸収できないという説明が妙に説得力があり印象深かった。


現在では植物が育つために必要な栄養はこの三要素だけでなく、微量《びりょう》要素や複雑な要因が絡《から》んでいることが分かってきたので、「リービッヒの最小律」は特定の条件の下でしか成立しないとされている。しかし、植物を育てるために窒素、リン酸、カリの三要素が重要であることにかわりはない。リービッヒはドイツの化学者で、有機化学《ゆうきかがく》の発展に貢献《こうけん》したばかりでなく、農芸化学という学問分野を作り上げた功績がたたえられて、「農芸化学の父」ともいわれている。

彼が活躍した一九世紀以前、ヨーロッパばかりでなく世界のどこでも農作物に与える肥料は、人糞《ぷん》や家畜糞《かちくふん》、堆肥《たいひ》などの有機質肥料か草木灰《そうもくばい》などだった。ところが、リービッヒは自身の実験結果から植物の栄養源《えいようげん》は無機物質であるとして「無機栄養説」を唱えた。

この説に基づいてヨーロッパでは、南米チリの砂漠の地下資源であるチリ硝石《しょうせき》が窒素肥料として利用されたが、肥料以外にも火薬《かやく》や染料《せんりょう》、医薬品の原料など、多くの用途があったので、資源の先細《さきぼそ》りが心配された。二〇世紀初め約一六億人だった世界の人口は、その後も増え続けることが予測され、従来の慣行《かんこう》農法では増大する人口に対応できないことが指摘された。解決策として大気中の窒素を利用して肥料を合成する方法が模索《もさく》されたが有効な方法は見つからなかった。

大気中の窒素の利用に初めて成功したのがドイツの化学者フリッツ・ハーバーで、二〇世紀初頭のことである。ハーバーは一九一三年に技術者カール・ボッシュとともに、「ハーバー・ボッシュ法」と名付けられた合成法を確立してアンモニアの工場生産を始めた。二人が開発したこの方法により、アンモニアから硫安《りゅうあん》や尿素《にょうそ》などの窒素肥料が大量に合成されるようになった。

この合成肥料を使えるようになって農業生産は一気に増大して、爆発的に増加する人口をまかなうに足《た》りる食料生産が可能になった。二人が「空気をパンに変える方法を発明した人」と言われるゆえんである。

数ある発明・発見の中で、「ハーバー・ボッシュ法」ほど地球規模で人類のために貢献をしている発見は他にあるだろうか。ところが、この方法で大量に合成されるようになったアンモニアは火薬の原料にもなり、高性能な火薬の大量生産にもつながった。実際、第一次世界大戦ではこの火薬を使った武器により多くの命が失われた。

それだけではない。ハーバーはヒットラーに協力して毒ガスの開発を指導して何百万もの人の死に手を貸した。戦争を早く終わらせて無駄《むだ》な死を少なくしたい、というのが毒ガス使用の理由だったようだが、米国による広島、長崎への原爆《げんばく》の投下にもまったく同じ理由付けがされた。何と人は学習をしないのだろうか。

科学と技術の成果が必ずしも人や社会に幸せをもたらすとは限らず、世紀の大発明や大発見にも功罪《こうざい》が表裏一体《ひょうりいったい》となっていることを学ばなければならない。幸せを壊す被害《ひがい》や弊害《へいがい》の現れ方はさまざまである。意図的に科学・技術を悪用する場合はその弊害の現れ方がはっきりしているが、たとえば、化石エネルギーの使用による地球の温暖化《おんだんか》は、先進国によるエネルギーの使いすぎが主な理由である。

発明・発見に直接かかわる科学者や技術者の個人的な倫理《りんり》や道義も大切だが、あまねく人々が科学・技術についての理解度を深めることが重要であると私は考える。

「夏のこどもたち」

自然に学ぶ

発見に胸をときめかせる

二〇一六年八月二〇日付

この一〇年来、八月中の六日間をソニー教育財団が主催する「科学の泉《いずみ》―子ども夢教室」の塾長役として、全国から募集した三〇人ほどの小学五年生から中学二年生までの子どもたちと一緒に過ごしている。男女や学年を交《ま》ぜた四〜五人をグループとし、各グループの指導員には全国から募集した小学校、中学校の先生になっていただいている。

子どもたちと指導員は寝食を共《とも》にしながら「自然に学ぶ」を合言葉として、自然をじっくりと探索《たんさく》する。自然の不思議を探求し、みずから疑問や関心をもち、「よく観察」し、「よく記録」し、「よく調べ」、「よく考える」ことを大切にしながら、六日間を過ごす。屋外で行う「自然に学ぶ」活動のほかに、私が研究を続けてきた導電性《どうでんせい》プラスチックの実験も行っている。

二〇〇五年に第一回を相模原《さがみはら》市の相模川自然の村・野外体験教室「ビレッジ若あゆ」で開催して以来、新潟《にいがた》県の当間《あてま》高原や長野県の白馬《はくば》村など、自然が豊かな地域で行ってきた。第一二回となる本年は、昨年に引き続き小県郡《ちいさがたぐん》青木村で、村役場や青木中学校の協力を得て行った。

今回は小一の時にこの教室を知って五年生になるのを待って応募した男子、小五の時から応募を続けて三回目で参加が決まった中一の男子、オーストリアから参加した小五の男子を含めて、好奇心《こうきしん》が旺盛《おうせい》で個性豊かな子どもたち二八人と楽しく活動できた。

準備は開催前年の一〇月ころに行う指導員の募集から始まる。年内には選考を終えて指導員が決まると、二月から八月の開催まで、毎月一回は東京に集まってもらい、指導員会議や実験内容を熟知《じゅくち》するための予備実験、さらには現地の下見を二回行っている。

毎回のことながら、会議で私が指導員にお願いするのは、「教えないでほしい」のひと言である。教えることをなりわいとする先生方に、「教えない」ことをお願いするのは大変矛盾《むじゅん》していると思われるかもしれない。

往々《おうおう》にして教育は「授業」という言葉に象徴《しょうちょう》されるように、先生が生徒に業《わざ》を授けることであると受け止められている。水が低《ひく》きに流れるように、先生は生徒より一段高い立場から業を授け、生徒は常に「受け身《うみ》」にあるとされているのが現状である。諸外国と比《くら》べて日本の教育水準は高いといわれながら、旧来の授業法と知識偏重《へんちょう》を促《うなが》している受験制度により、才能や感性などの個性や創造性《そうぞうせい》が豊かな人材が育ちにくくなっている、と私は思っている。

教授法という技術的なことは別にして、私は「教える」ことと「習《なら》う（学ぶ）」ことに上下関係はなく、対等な関係にあると思っている。人と人が対等に向き合ってこそ、本当の教育ができる。

話を「教えない」に戻すと、文字通り教えないのではなく、たとえば子どもたちが関心や興味を抱《いだ》いた対象《たいしょう》を見つけたときに、その対象をどのように学べばよいかを教える。子どもたちの自発的な学びを誘導《ゆうどう》したいと思っているからである。

『沈黙《ちんもく》の春《はる》』を著《あらわ》して環境《かんきょう》汚染《おせん》と環境破壊《はかい》の実態《じったい》を世界に告発《こくはつ》したレイチェル・カーソン（米国、一九〇七〜六四）の遺稿《いこう》が、死後友人たちによってまとめられ、『センス・オブ・ワンダー（*Sense of Wonder*）』（日本版は上遠恵子訳、新潮社）という書名で出版された。彼女がセンス・オブ・ワンダーと表現する美しいもの、未知《みち》なもの、神秘《しんぴ》的なものに目を見張《みは》る感性《かんせい》を育《はぐく》むため、めいの息子ロジャーと一緒に自然を探検《たんけん》し、発見の喜びに胸をときめかせる話をつづっている。

「……そんなときわたくしは、動物や植物の名前を意識的に教えたり説明したりはしません。ただ、わたくしはなにかおもしろいものを見つけるたびに、無意識のうちによろこびの声をあげるので、彼もいつのまにかいろいろなものに注意をむけるようになっていきます」「彼の頭のなかに、これまでに見た動物や植物の名前がしっかりときざみこまれているのを知って驚いたものです」「わたくしは、子どもにとっても、どのようにして子どもを教育すべきか頭を悩ませている親にとっても、「知る」ことは「感じる」ことの半分も重要ではないと固く信じています」

この書には指導員が子どもたちをみちびく際に大切にしてほしいことばや表現が至る所にちりばめられており、よい指針《ししん》となっている。

「青が青のままで」

重い環境問題

「役立つ」プラスチック 元凶に

二〇一六年九月一七日付

中学校の卒業記念文集に「将来の希望」と題して、大学へ入ったら化学や物理、プラスチックの研究をして、欠点を取りのぞいた新しいプラスチックを作り出したい。ビニールのふろしきは熱に弱く、熱い弁当を包《つつ》むとのびたままもとにもどらない欠点がある。これらの欠点をのぞき安価《あんか》に作れるようになったら、社会の人々にどんなに喜ばれ、日常品のあらゆる方面に利用されるだろう、と書いた。

今改めて読み返すと、将来の希望とはいえまだ高校にも入っていない中学生が、大学に入ったら化学や物理の研究をしたいだの、新しいプラスチックを作り出したいだの、わずか一一行の短い文章に身《み》の程《ほど》知らずの夢を託《たく》したものだと思う。戦後間もないころ、食料をはじめあらゆる物資《ぶっし》が欠乏《けつぼう》するなかで登場したプラスチックは、食器や家庭用品など身近に使われるようになったこともあって、子供心にその魅力《みりょく》と将来性を感じ取ったのだろう。

小さいころから理科が好きだったので理系の大学に入学して化学を学び、大学院で高分子《こうぶんし》合成を研究した。大学院修了後は大学で助手として研究を続けることになり、助手時代に行った導電性《どうでんせい》高分子（電気が通るプラスチック）の研究が世界的に高い評価を受け、二〇〇〇年のノーベル化学賞をいただくことになった。研究者としてはこの上ない幸せである。世間では小さいころ抱いた目標に向かってひた向きな努力をした結果と評価する向きもあるが、決してそうではなく、何回か経験した重要な岐路《きろ》で選んだ道が今日に至ったのだと考えている。

プラスチックは使い勝手がよい材料として、家庭用品などの民生用ばかりでなく、工業製品にも広く使われるようになった。ところが、生産量がピークを迎えた一九九七年前後に、焼却《しょうきゃく》により猛毒《もうどく》のダイオキシン類が発生すること、軟質《なんしつ》の塩ビ製品に使われるフタル酸系可塑剤《かそざい》が環境ホルモンとして疑われることなどが明らかにされた。「安価に作れるようになったら、社会の人々にどんなに喜ばれるだろう」と、将来の希望に記したそのプラスチックが公害の元凶《げんきょう》としてやり玉に挙《あ》がったのである。高分子の合成に関わった科学者としては青天《せいてん》の霹靂《へきれき》だった。

一九六〇〜七〇年代のベトナム戦争において、米軍が散布した枯れ葉剤《かれはざい》は高濃度のダイオキシンを含んでいた。枯れ葉剤を浴《あ》びた兵士や住民ががんや重篤《じゅうとく》な病気で死亡するばかりでなく、流産《りゅうざん》や死産《しざん》、先天性異常児《せんてんせいいじょうじ》の出産などが多発したことがたびたび報道されたこともあって、国民のダイオキシンに関する関心は高かった。

政府は一九九九年にダイオキシン類対策特別措置法を制定して、国民の健康保護を図《はか》るため、ダイオキシン類による環境汚染《かんきょうおせん》の防止やその除去などに必要な規制などを定めた。この特別措置法には、国や地方公共団体、事業者の責務《せきむ》に加えて、第五条に国民の責務として「国民は、(中略)ダイオキシン類による環境の汚染の防止又はその除去等に関する施策に協力するように努めるものとする」と記されている。この条項のためかどうか分からないが、町なかでの落ち葉焚《た》きや楽しい焼き芋《やきいも》さえはばかられるようになったのは、いささか行き過ぎではないかと思っている。

その後、廃棄物焼却炉《はいきぶつしょうきゃくろ》の改良《かいりょう》、分別回収《ぶんべつかいしゅう》やリサイクル制度の広がりによる再利用化など、産・官・住民の努力が功《こう》を奏《そう》して一件落着《いっけんらくちゃく》の感があるが、油断《ゆだん》は禁物《きんもつ》である。もう一つの深《しん》刻《こく》な事態《じたい》が明らかになってきたからである。大きさが五ミリ以下の微小なプラスチックの破片《はへん》、マイクロプラスチックによる海洋汚染である。

環境分野における国連の主要な機関として、一九七二年に設立された国連環境計画が二〇一四年に出した「世界で新たに生じている環境問題」の中にも、問題点が盛り込まれた。また、昨年ドイツのエルマウで開催されたＧ７サミットの首脳宣言《しゅのうせんげん》でも、付属書で海洋ごみ問題に対処するためのＧ７行動計画が明記され、海洋ごみ、特にプラスチックごみが世界的課題を提起《ていき》していることを認識するとしてマイクロプラスチックの問題が取り上げられた。

海洋汚染の全体像や生態系に及ぼす影響などは、科学者や技術者による今後の解明に期待するしかないが、被害が広がる前に地球規模の広がりと問題の深刻さを認識するとともに、われわれもプラスチックの使い方、廃棄の仕方などについて改めて考える必要がある。

「みのり」

ノーベル賞受賞

評価に喜び　期待に重み

二〇一六年一〇月一五日付

毎年一〇月にノーベル賞の授賞発表がある。三日には医学・生理学賞の発表があり、東京工業大学栄誉教授の大隅良典《おおすみよしのり》先生が単独で受賞された。日本人の受賞は三年連続で受賞者は二五人、このうち自然科学三賞の受賞者は二二人になった。日本人科学者の底力を見る思いである。早速取材の嵐にさらされている様子を拝見すると、一六年前の大騒動《おおそうどう》を思い出す。

二〇〇〇年一〇月一〇日の夜遅くに電話のベルがなって妻が受話器《じゅわき》を取った。ある新聞社からの電話で「先生がノーベル化学賞を受賞されたので電話を代わってほしい」とのことだった。思いもかけなかったことだったので、妻にはノーベル財団からまだ正式な通知を受け取っていないと伝えてもらって電話を切った。ところが次から次へとメディアから電話が殺到《さっとう》するうちに、テレビが受賞の知らせをテロップで流し始めた。これは大変なことになった、頭を冷やさなければならないと思って電話の回線を切ってベッドに入った。

同年三月三一日に大学から退職したのを機に、一切の常勤職《じょうきんしょく》から退いていたわが身にとって、受賞の知らせはまさに青天《せいてん》の霹靂《へきれき》以上の出来事《できごと》であった。ノーベル賞は国内外に数ある賞の中で最高の栄誉《えいよ》であるとされている。長年にわたって一緒にこの分野を切り拓いてきたアラン・マクダイアミッド、アラン・ヒーガー両教授との共同受賞である。うれしくないはずはなかった。しかし、うれしいという気持ちよりも、これから受賞の重さに耐《た》えていかなければならないという圧迫感《あっぱくかん》で息苦しく、とてつもない災難《さいなん》が降《ふ》りかかった思いであった。

一九九一年の夏にノーベル財団が主催《しゅさい》する「共役系高分子《きょうやくけいこうぶんし》と関連物質に関するノーベルシン

ポジウム」に招待されたことがあった。会議はスウェーデンの北極圏《ほっきょくけん》に近い小さな町ルレオで開催された。会議の合間に地元の新聞社から取材を受け、翌日の新聞にノーベル賞候補者としてわれわれ三人の写真が大きく掲載《けいさい》された。それまで自分自身の研究成果がノーベル賞に値《あたい》するなどとは考えたこともなかったのでいささか面《おも》はゆい思いであったが、われわれの研究が世界的に評価をされたのだと率直《そっちょく》に受け止めることができて、それがうれしかったのを覚えている。

受賞の知らせを受けてすぐ思い浮かんだのは、八一年に福井謙一《ふくいけんいち》先生がノーベル化学賞を受賞された折のあの騒ぎと、九八年にお亡くなりになるまでに背負《せお》われた、必ずしも先生の本意ではなかっただろうお仕事の多さである。退職した後に受賞した私の場合と違って、福井先生のご受賞はまだ現役《げんえき》の時だったので、学会や社会から期待されたという面はあったであろうが、その期待があまりにも過剰《かじょう》なために命を縮《ちぢ》められたのではないかと思われた。冒頭、とてつもない災難が降りかかった思いというのはこのことである。

私も受賞の直後からマスメディアの攻勢《こうせい》にさらされた。当然のことながらノーベル賞をいただいていなかったら、誰も取材に来ることはなかったであろう。

メディアからばかりでなくその道の専門家から、「ノーベル賞受賞者の発言は重みが違うからぜひ大いに発言をしてほしい」と頼《たの》まれることが多いのには、とても違和感《いわかん》を覚《おぼ》えた。世間は専門家よりもノーベル賞受賞者の発言や提言ならば尊重《そんちょう》するから、というのであればなおさら問題である。このことは裏を返せば、専門家でさえいくら建設的な発言をしても、その発言は世の中には受け入れられない、というに等しい。同じ人間の発言が、ノーベル賞受賞の前後でその重みに違いがあろうはずはない。

大隅先生は授賞が決まる前から、役に立つかどうか分からない地道《じみち》で長い期間が必要な基礎研究が軽視《けいし》されがちな現状《げんじょう》に危機感《ききかん》を抱《いだ》いて、志《こころざし》を同じくする七人の研究者とともに全国を講演して回っているという報道を知って、とても心強く思った。一人のノーベル賞受賞者が単独で行動するよりも、意を同じくする大勢の仲間と一緒に活動することの大切さを思い知った。

「女神の面差し」

ノーベル賞の金メダル

科学の本質表すデザイン

二〇一六年一一月一九日付

来月一〇日にはスウェーデンの首都《しゅと》ストックホルムでノーベル賞の授賞式が行われる。この前後一週間はノーベルウィークと呼ばれており、ストックホルムだけでなくスウェーデンの各地でさまざまな行事が行われる。

授賞式に先立って行われる受賞記念講

演会、授賞式の夜に行われる晩餐会《ばんさんかい》、国王が主催《しゅさい》する王宮での晩餐会の他に、受賞者はスウェーデン各地の高校や大学で学生に講演を行う慣例《かんれい》がある。世界各国のノーベル賞受賞者による講義や講演は、スウェーデンの高校生や大学生にとって知的好奇心《ちてきこうきしん》をそそるよい機会になっている。

一六年前の二〇〇〇年に化学賞を受賞してその名誉《めいよ》を実感したのは、一二月一〇日の授賞式でカール一六世グスタフ国王からメダルと賞状をいただいた時だった。メダルの表面はアルフレッド・ノーベル（一八三三〜九六）の横顔が浮《う》き彫《ぼ》りにされており、その右側にローマ数字で生年と没年が刻《きざ》まれている。表側のデザインは物理学賞、化学賞、医学・生理学賞、文学賞では同じである。

裏面のデザインはスウェーデン王立科学アカデミーが選考する物理学賞と化学賞では同じである。雲の上に古代エジプトの女神《めがみ》イシスになぞらえた自然の女神がベールをまとった姿で立っており、このベールを科学の守護神《しゅごしん》（女神）がそっと持ち上げて自然の女神の横顔をうかがっている。

自然の女神は右手に豊饒《ほうじょう》の角《つの》「コルヌコピア」を抱《だ》いている。この角はヤギの角で作られた容器で、ギリシャ神話の最上位の神であるゼウスが乳児のころに授乳に使われたとされている。角は果物や野菜、花で満たされており、あり余るほど豊かな自然の宝庫を象徴《しょうちょう》している。科学の女神はというと、左手に巻物《まきもの》を握《にぎ》っており、自然から学んだもろもろの事柄《ことがら》を記録することを意味していると思われる。

子どものころに夢中になって野山を走り回り昆虫採集や植物採集をしているうちに、自然を見ること、実物を見ることの大切さを学んだ。この体験をもとに子どもたちに、よく観察し、よく記録し、よく調べ、よく考えよう、と話すことが多いので、メダル裏面のデザインは科学することの本質を端的《たんてき》に表していると感じてとても気に入っている。

科学の女神が厳しく無表情な面立《おもだ》ちをした自然の女神のベールをそっと持ちあげて、自然の内面に迫《せま》ろうとしているのはなぜかを考えてみると、二つの理由が思い浮かぶ。

一つはあり余るほど豊かな自然の宝庫である一方で、荒々《あらあら》しく厳しい面も見せる自然の中で、ひとが自然と共存《きょうぞん》して生き抜くためには、自然のあらゆる面を知らなければならず、そのための知識を得るためではないだろうかと考えた。知識を得た上でよりよい生活をするために創意・工夫をしなければならない。技術の発展は絶えることなく人類の誕生から脈々と受け継がれて今日に至っている。

もう一つは科学する行為の核心《かくしん》ともいうべき自然を、よりよく知ろうとする知的好奇心からなのであろう。ひとは生まれながらにして、教えなくても目に映《うつ》るもの、音がするもの、手で触れるものなど、何にでも興味を示すことは誰でも知っている。

雨の日に大人ならば必ず避けて通る道路の水たまりに、子どもたちはわざわざ入るばかりでなく、足踏《あしぶ》みをして水が跳《は》ねあがる姿を見て喜んでいる様子をよく見かける。損も得もなく、ただ知ることに興味を示している様子からすると、まさに知的な好奇心からの行いであることが分かる。

ひとは生まれたときから、もっと知りたい、もっと理解したい、といった知的好奇心が豊かで、それがさらに発展して学び考えるようになる。ひとに固有な知的好奇心は長い歳月をかけて人類が獲得した最大の能力といってよい。

「ねがいごと」

フランクリンの願い

科学進歩と心の豊かさ

二〇一六年一二月一七日付

科学・技術の進歩《しんぽ》が生活を豊かにする半面、その進歩がもたらした負の側面も少なくなく、地球温暖化《おんだんか》のように地球規模で人為変化をもたらすに至っている。科学・技術の負の側面について、例を挙げると切りがない。すぐ思い出すのは原子力の利用である。原子核分裂に伴《ともな》って放出される莫大《ばくだい》なエネルギーは原子力発電として利用されている一方、むしろ原子力発電という平和利用に先駆《さきが》けて、極めて強力な兵器として一九四五年八月に広島、長崎で使われ、その有効性を顕示《けんじ》すると同時にその非人道性を世界に知らしめた。

その後、米ソ冷戦下で生まれた「核兵器を保有することが戦争を抑止する」という核抑止論《かくよくしろん》は、冷戦の終結を経た今日、非人道的兵器という烙印《らくいん》が押されながら、それ故《ゆえ》になお核保有国や潜在《せんざい》核保有国の間に根強く生き続けているというのは、何という皮肉なことだろうか。

科学・技術がもたらした負の側面を解決するのもまた科学・技術だが、それだけでは解決できない場合が圧倒的《あっとう》に多いような気がする。「核抑止力」という呪縛《じゅばく》から脱却《だっきゃく》するために必要なのは科学・技術そのものではなく、科学・技術をどう考えどう使うかという人間の英知《えいち》そのものであることに、思いを致《いた》すべきである。

私が学部学生から院生、助手時代に使った化学の教科書『われらの科学　改訂版　化学Ⅰ』（平凡社）が手元にある。一九五四年にノーベル化学賞、六二年にノーベル平和賞を受賞したライナス・ポーリング（一九〇一〜九四）が著《あらわ》した化学の教科書である。その第一章「化学と物質」の冒頭に、ベンジャミン・フランクリン（一七〇六〜九〇）がジョゼフ・プリーストリー（一七三三〜一八〇四）に宛てた一七八〇年二月八日付の手紙が紹介されている。フランクリンはアメリカ独立宣言の起草者の一人でもあり、日本では雷《かみなり》の研究で知られた科学者である。プリーストリーはイギリスの神学者・哲学者・化学者で、一七七四年に酸素の存在を認め、ラヴォアジエの燃焼《ねんしょう》理論の確立に大きく貢献《こうけん》したことで知られている。二三六年前の個人的な手紙が今でも残っていて、インターネットで公開されているというのは大変な驚きである。公開された手紙を読んでみると、ポーリングの引用はこの手紙の初めの部分を抜粋《ばっすい》しているようである。

「自然科学が急速に進歩しているのをみると、ときどき私は少し早く生まれすぎて残念であると思うことがあります。今後、一〇〇〇年の間に、物質を支配する人間の力がどのような高さに到達するかは、想像することもできません。どうか道徳が自然科学と同じように向上の道をたどり、人間同士がオオカミのように争いあうのをやめ、いま不当にもヒューマニティと呼ばれているものを人類がいつか身につけるようになってほしいものであります」

科学・技術は二〇世紀に急速に発展したが、この手紙を読むとフランクリンは、一八世紀の終わり、今から二三六年も前にすでに自然科学が急速に進歩していることを指摘しているのに驚かされる。それ以上の驚きは「道徳もまた自然科学の進歩と同じように向上の道をたどってほしい」と願い、「オオカミのように人間同士が争いあうのをやめ、ヒューマニティを身につけるようになってほしい」とプリーストリーに書き送っていたことである。

二一世紀初頭の現在、科学・技術はフランクリンの時代とは比較にならないほど目覚《めざ》ましい進歩を遂《と》げた。二三六年も前にすでにフランクリンにより指摘されたにもかかわらず、いまだに人間はそれに見合《みあ》うほどには進化していないな、と実感させられる。進化していないどころか逆に退化して、本当の豊かさとは何か、心の豊かさとは何かを忘れてしまったようにさえ思われる。

科学者ではなくても、科学の初歩を学ぶことは大切だが、その際、単に科学の知識を学ぶだけでなく、科学がどう人間と関わり、科学がどう社会に影響を及ぼすかを、深く考え見極《みきわ》める努力が大切だと思う。

「実験」

ありのままを観る

家庭で身に付いた基本

二〇一七年一月二一日付

大学を退くまで、化学に関する科目を学部学生や院生に教えてきた。二〇〇〇年に退職してからは身近な生活や環境問題にも直結する化学を、子どもたちを含めて一般の人々に知ってほしいと願い、大学で研究を続けてきた化学や導《どう》電性高分子《でんせいこうぶんし》に関する講演や実験を行っている。

化学という学問は原子や分子から構成されて

いる物質の性質や構造、ある物質から別の物質ができる際の化学反応を研究する自然科学の一部門である。私たち自身も含めて、私たちの周りは物質で満ちあふれている。しかし、身近なところから体験的に、あるいは自発的に化学を学び取ることは大変困難である。自然や生命の営《いとな》みはすべて化学反応の結果であると言っても言い過ぎではないが、化学反応そのものはいくら自然に親しんだとしても、目の前で手に取るようには起こってくれない。

教わらなくとも自然が変化するさまに興味と関心を抱くことができる場合が多い物理学や生物学、天文学などとは対照《たいしょう》的に、個人がありのままの自然から体験を通して化学に親しみ化学を学ぶことは、大変むずかしい。

しかし、個人的な体験を振り返ってみると、化学への興味の芽生《めば》えは自然や学校教育からというよりは、むしろ家庭の中にあった。わが家では、子どもたちが母の家事を手伝うのは当然のことだった。私の分担はご飯を炊《た》くことと風呂を沸《わ》かすことだった。電気炊飯器《すいはんき》はもちろんのこと、ガス風呂もない七〇年も前のことだったので、燃料《ねんりょう》はまきだった。火をおこすこと、適度な強さに燃やすことなどは、何回も繰り返すことにより自然に覚えた。

ご飯炊きは短時間でできるが、火の調節に気を配《くば》らなければならなかったので、かまどの前にくぎ付けで余計なことはできなかった。しかし、風呂焚《た》きは二、三時間かかるが、火をつけさえすればあとは燃えるにまかせるだけだったので、時間がたっぷりあった。その暇《ひま》つぶしにいろいろないたずらができた。

干物《ひもの》を包《つつ》んだ新聞紙を焚《た》き付《つ》けに使うと、食塩が染《し》み込《こ》んでいたせいか黄色い炎が出て、教科書かなにかで読んだ炎色反応《えんしょくはんのう》が体験できた。父が開業医をしていたので空《から》になった注射液のアンプルがあった。その中にマッチの軸《じく》を詰《つ》め込《こ》んで火の中に置くと、初めは白い水蒸気が噴《ふ》き出《で》るが、間もなくオレンジ色の炎が勢《いきお》いよく噴き出てくる。これを飽《あ》かずに眺《なが》めて退屈《たいくつ》をすることはなかった。

冷えたアンプルを壊《こわ》すと、マッチの軸が形もそのままで真っ黒い炭《すみ》と化していた。マッチの軸だけでなく、木の葉やおよそ燃えそうなものならば何でも詰め込んで試してみた。それぞれが興味深いいたずらで、これらが私にとっての「化学のことはじめ」であり、化学の実験場所であり、ファラデーの『ロウソクの科学』に代わる実験材料だった。

梅干しの汁で赤く染《そ》まった布巾《ふきん》にせっけんを付けて洗うと青く変色して、リトマス試験紙の代わりになることを見つけたりもした。その気になれば家庭の中には化学の実験材料がいくらでもあった。後に職業として高分子《こうぶんし》化学の研究に携《たずさ》わることになったきっかけは、中学校の卒業記念文集『みちしるべ』に書いたプラスチックの改良や新しいプラスチックを作りたいという願いだった。

よく観察する、ありのままを観《み》るということは、化学ばかりでなく科学全般、いや、何ごとを学ぶ上でも基本中の基本である。この基本は少年時代に昆虫を追《お》い、植物を探して野山を駆《か》け巡《めぐ》り、風呂釜の前に座って燃えさかるまきを見ているうちに、知らず知らずのうちに自然に身に付いた。私にとって科学の一番の先生は大自然で、そこから自然そのものを学ぶことであり、「自然に、すなわち、おのずから学ぶ」という独学だったのである。

学校教育でいくら学んでも、前提となる体験や自然を観る目がなければ、受験対策には役に立つかもしれないが身に付いた知識にはならない。学ぶべき場所は学校だけではなく、教えるべき人は学校の先生ばかりではない。

化学教育とは単に化学の知識を教えるだけでなく、化学がどう人間と関わり、化学がどう社会に影響を及ぼすかを、深く考えさせ見極《みきわ》めさせることが大切だと思う。化学教育を理科教育あるいは物理学教育、生物学教育と置《お》き換《か》えても同じである。教える側がこのことを十分わきまえていれば、学ぶ側も意識を高めることができると信ずる。

「名機と名画」

知的財産権の保護

創造性を育む制度とは

二〇一七年二月一八日付

三年前の四月二七日に、上田《うえだ》市の上田創造館で東京都市大学と信濃毎日新聞社の主催による「東京都市大学シンポジウムin上田」と題する講演会が、上田市との共催《きょうさい》で開かれた。講師は上田市出身で理化学研究所名誉研究員の丸山瑛一《まるやまえいいち》さんと私の二人だった。

丸山さんは「世界的大発明と活《い》かすべき日本の特許《とっきょ》と技術」という題で、ご自身が行ったテレビカメラの撮像管《さつぞうかん》やディスプレー用薄膜《はくまく》トランジスタなどの開発と取得した特許についてお話をされた。「著作権が作者の死後五〇年も保護されるのに、特許権は申請してから二〇年しか権利を主張できないのでは、製造業には不利でかわいそう。せめて製品化してから二〇年間は権利が保たれるように法律の改正が必要」と強調されたのがとても印象に残った。

どこの国にも知的創造活動による発明や著作物、デザインなど、人間が生み出すもろもろの創造的成果を知的財産として、創造した者が独占《どくせん》的に使う権利を保護するための制度がある。知的財産権制度である。

特許権は特許庁に出願して登録することによって発生するが、保護される期間は出願日から二〇年と決められている。一方、同じ知的財産権である著作権は死後五〇年、法人の場合は公表後五〇年、映画は公表後七〇年と決められている。

なぜ、著作権は子や孫の代まで保護されるのに、特許権は一代限りどころかもっと短い二〇年なのか。どのような手続きで決められたのか、それぞれの期間が妥当である理由は何か、などが気になり調べてみたが、手がかりは得られなかった。ちなみに、特許権の存続期間はどの国でもおおむね二〇年で、著作権は日本と同じ五〇年とする国もあるが欧米では七〇年である。

同じ知的財産権という名前でひとくくりにされがちであるが、特許権と著作権の性格はまったく異なる。特許権は基本的には自然の法則を利用するもので、これまで誰も知らなかったり、気が付かなかったりした自然の法則の新しい利用方法を主張する権利である。自然現象を基にしているということは、ある人が発明しなかったとしても、別の人が同じ発明をする可能性が十分にある。ある発明を基により優《すぐ》れた発明をすることも可能である。

一方、著作権は創造した人にしかできなかったものであり、他人が全く同じ作品を創《つく》ることはあり得ない。たとえば、夏目漱石《なつめそうせき》の小説『吾輩《わがはい》は猫《ねこ》である』は漱石にしか書けなかった作品であり、誰も代わりはできなかったし、これからも同じ作品が書かれることはあり得ない。

著作権が文化面で大きく寄与《きよ》するのに対して、特許権は企業の産業活動に大きな影響を及ぼす点では、丸山瑛一さんが講演で指摘したとおりである。多額の研究費や開発費を費《つい》やした技術を特許にしてその使用を独占したとしても、利益《りえき》を生み出すまでに必要な期間は短く、あっという間に特許権の使用期間が終わってしまう恐れは大いにある。

近年、医薬品の開発には多額の研究費を必要とするようになっただけでなく、安全性の確保のための試験や検査などに多額の経費と時間がかかるので、特許権を得ても権利を行使できる期間が短くなり、その間の利益だけでは開発に要した費用をまかないきれなくなっている。このことを配慮《はいりょ》して医薬品等の一部については五年を限度に存続期間を延長できる制度が設《もう》けられている。

特許権にしても著作権にしても、研究者・技術者、作者が生み出した技術や作品の創造性や新規性《しんきせい》を守るために、一定期間を国が保証するものである。創造は全くの無から生み出されることもあるかもしれないが、先人の創造を礎《いしずえ》にして生み出される場合が多いことを考えると、長ければよいというものではない。むやみに長い期間の保護はかえって創造性を阻害《そがい》する恐れがある。

トランプ米大統領が一月二〇日の就任初日に、環太平洋連携協定《かんたいへいようれんけいきょうてい》（TPP）からの離脱《りだつ》を正式に発表したことで、わが国では公開や作者の死後から五〇年としてきた著作権保護期間を、米国やヨーロッパ諸国並みに原則七〇年とする方向に改《あらた》める交渉《こうしょう》が宙に浮いてしまった。特許権や著作権などの権利はあまり身近な話題ではないと思われるかもしれないが、この機会に考えてみてはいかがだろうか。

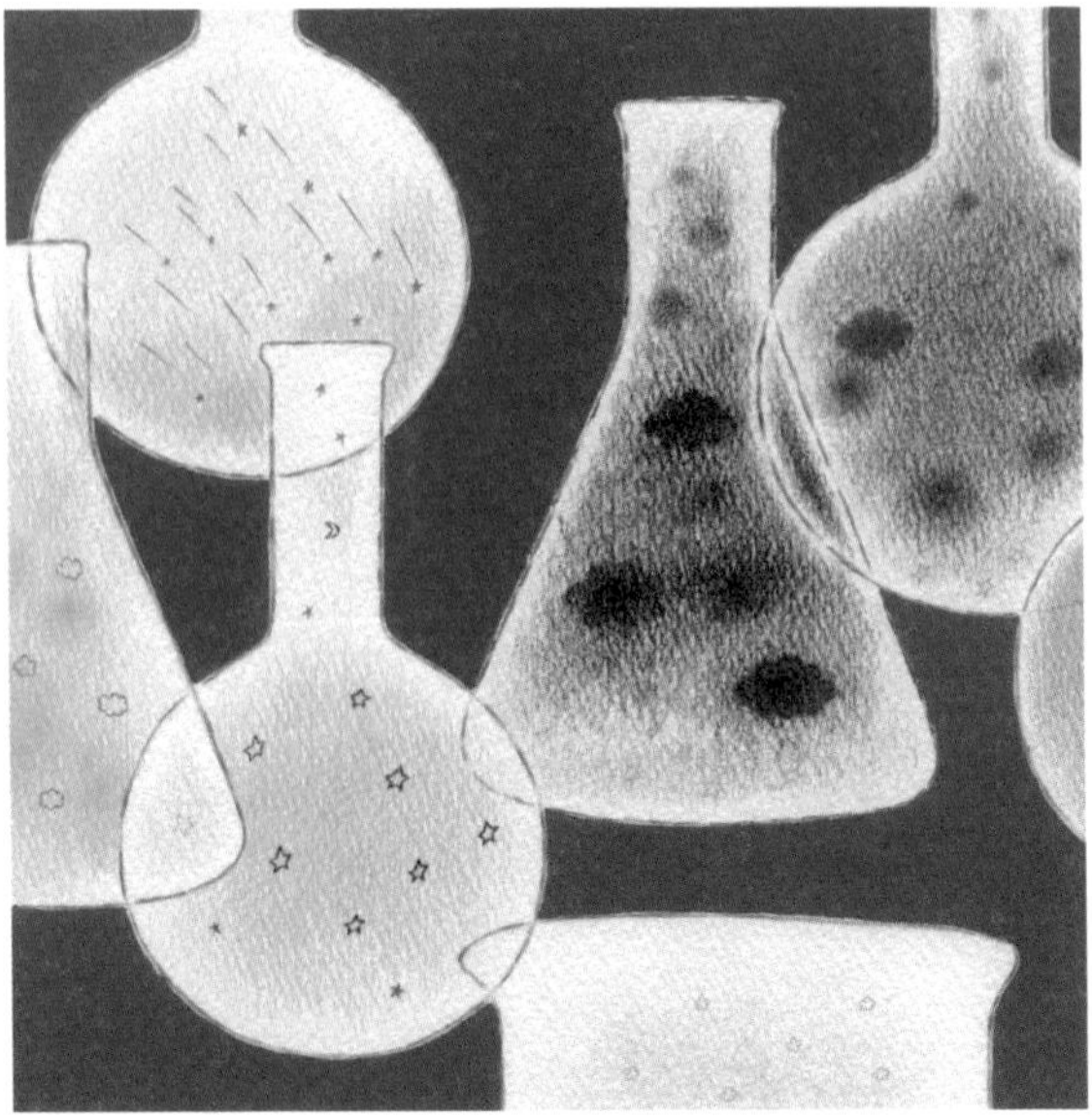

「夢と毒」

不戦の誓い継承を

軍事転用　薄れる危惧の念

二〇一七年三月一八日付

先の大戦で学者や研究者が戦争を遂行《すいこう》するために軍事研究に協力したり動員されたりしたことを強く反省して、わが国の科学者の代表機関である日本学術会議は、一九五〇年に「戦争を目的とする科学の研究には絶対従わない決意の表明」を、六七年には「軍事目的のための科学研究を行わない声明《せいめい》」を出すなど、全国の学者や科学者に軍事を目的とする研究を強く戒《いまし》めてきた。最近になって防衛省《ぼうえいしょう》が始めた「安全保障技術研究推進《すいしん》制度」が関係者の間で話題になっている。大学や研究期間、企業などを対象として、基礎研究のための研究費を支給《しきゅう》するというのである。初年度の二〇一五年度予算額は三億円だったが、一六年度に六億円、一七年度には一一〇億円と三年の短期間で三〇倍以上に増額された。科学技術関係予算が二〇〇六年度の三兆六千億円弱からわずかな増減《ぞうげん》を繰《く》り返《かえ》して一五年度には三兆四千億円強と、増加するどころか減少していることと比較すると、この増加率は極《きわ》めて異常だといえる。

国立大学では二〇〇四年の法人化以降、国からの交付金《こうふきん》の削減《さくげん》が続き、財政難《ざいせいなん》にどう対処するか悩《なや》んでいる。私立大学でも少子化《しょうしか》の影響で同じ悩みを抱《かか》えているのが現状である。慢性的《まんせい》に研究費の不足に悩まされている学者や研究者に、基礎研究のためという甘《あま》い名目《めいもく》で、軍事や兵器などへの応用に直結する研究を行うための研究費を出すというのである。

この新しい制度を巡《めぐ》って学者、研究者、技術者の間でさまざまな議論が起きている。日本学術会議でも、科学者がどう対応すべきかを検討するために「安全保障と学術に関する検討委員会」を設置《せっち》し、三月七日に「軍事研究禁止」をうたう一九五〇年と六七年の声明を継承《けいしょう》する方針を決めた。四月の総会に諮《はか》った上で正式発表となる見通《みとお》しだ。

大学を退《しりぞ》いて研究と教育から離れて久しい私だが、学者、研究者、技術者が、この問題にどう対処しようとしているか、大いに関心を抱いている。というのも、私は七六年から一年間、米国のペンシルベニア大学に招《まね》かれて導電性高分子《どうでんせいこうぶんし》の研究を行った際、研究費や博士研究員としての給料が海軍研究事務所（Office of Naval Research）から出ていたことを知って大変当惑《とうわく》した覚《おぼ》えがあるからである。

現役の学者や研究者ばかりでなく、大学生・大学院生はこの問題をどのように受け止めているだろうか。私が勤めていた筑波大学からは退職した教員にも『筑波大学新聞』が送られてくる。発行元は筑波大学だが編集は学生が行っている。昨年一二月七日付に、大学が軍事転用を見すえた研究を行うことの是非《ぜひ》について、筑波大学の院生・学部生六〇〇人を対象としてアンケートを行った結果が掲載《けいさい》されている。

結果は軍事研究を条件付きで認める割合が六三・九パーセント、全面的に認めるが五・八パーセント、全面的に禁止するが二二・一パーセントだった。実に七割弱の学生が軍事研究に抵抗《ていこう》はなく、「軍事転用を恐れていたら民生用の研究も自由にできない」が一二八人、「大学も日本の防衛力増強に貢献すべきだ」が九六人、「世界的には大学が軍事研究をするのは普通」が二九人いたのは、まったく意外だった。

反対の意見は「大学は学問の場で、軍事とは切り離すべきだ」九六人、「戦争につながり危険」六三人、「他に予算を投じるべき研究分野がある」四九人などと少数だった。敗戦後、七〇年を経ると、親から子へ、子から孫へ、代を重《かさ》ねるにつれて戦争に対する強い危惧《きぐ》の念は薄れていくのだろうか。


二〇一五年八月一四日、安倍晋三首相は閣議決定された談話でこう述べている。

「二度と戦争の惨禍《さんか》を繰り返してはならない。事変《じへん》、侵略《しんりゃく》、戦争。いかなる武力の威嚇《いかく》や行使《こうし》も、国際紛争《ふんそう》を解決する手段としては、もう二度と用いてはならない。（略）先の大戦への深い悔悟《かいご》の念と共に、我が国は、そう誓《ちか》いました。（略）七十年間に及ぶ平和国家としての歩みに、私たちは、静かな誇《ほこ》りを抱《いだ》きながら、この不動の方針を、これからも貫《つらぬ》いてまいります」

この談話とは裏腹に武器輸出三原則の見直し、集団的自衛権行使の容認《ようにん》、そして改憲に突《つ》き進《すす》む現政権に危惧を感じざるを得ない。「先の大戦への深い悔悟の念と共に、我が国は、そう誓いました」はどこに行ってしまったのだろうか。「歌は世につれ、世は歌につれ」という。年代と共に変わるものは多々あるが、不戦の誓いだけは代々継承しなければならない。

『信濃毎日新聞』二〇一六年四月〜二〇一七年三月に「思索のノート」として全一二回にわたって掲載された文章を一部改稿して転載した。

挿画　種村有希子（たねむら　ゆきこ）
絵本作家。一九八三年北海道釧路市生まれ。二〇〇九年、多摩美術大学卒業。一二年、「きいのいえで」で第三四回講談社絵本新人賞受賞。

2

日本語で科学を学び、考え、そして創造できる幸せ

――先人の努力を糧に

日本は母語で科学を学べる珍しい国かもしれない。幼児期に周りの大人たち（とりわけ母親）から母語として日本語を自然に身につけた日本人の多くは、意識するとしないにかかわらず、日本語で話し、日本語で考えている。同じように、西洋で発展してきた自然科学を日本語で学ぶことができる。私たちは自然科学を日本語で書かれた教科書や、日本語に翻訳された欧米の学術書を使い、そして日本語で学び深めてきた。このような日本語による科学の学びを可能にした背景を尋ねてみると、江戸時代中期から明治維新にかけて、西欧文化を積極的に吸収しようと努力した先人たち蘭学者《らんがくしゃ》やオランダ通詞《つうじ》などが、知恵を絞って外国語（主に西洋言語）を日本語に翻訳してきた苦労の歴史がみえてくる。

昨今、日本を訪れる外国人が増加し、日本国内でも英語（外国語）を聞いたり、話したりする機会が格段に増えてきている。このような状況を受けて、二〇二〇年度からは小学校でも英語が教科として教えられることに決まったという。こうして日本語を母語とする人たちが英語（外国語）を学んでいけば、日本語で行うのと同じように、自然科学について英語で考えて発想し、そして何かを創造できるようになるのであろうか。

意表を突いた問い

このような疑問を抱いたきっかけは、二〇〇〇年一〇月一〇日夜九時半ころ、ある通信社からわが家にかかってきたノーベル賞受賞を知らせる第一報の電話だった。その後も電話が鳴り続け、テレビでも受賞を知らせるテロップが流れたが、ノーベル財団から正式な連絡は何もないので、その夜は電話線を外して寝ることにした。報道陣が夜を徹《てっ》してわが家を取り巻いていたため、近所迷惑なので翌朝七時ころに玄関先に出て応対した。午後もメディアによる取材やインタビューの嵐を受けているうちに、スウェーデン大使館の館員が来訪して正式に受賞を知らせてくれたので、やっと受賞の実感を味わうことができた。

メディア各社の記者たちが繰り返し同じことを訊《たず》ねるなかで、ただ一人意外な質問をした外国特派員がいた。香港《ホンコン》から来た経済誌の特派員と名乗ったが、受け取った名刺から判断するとアジア人ではなくイギリス人と見受けた。取材を終えて帰りがけの玄関先で立ち止まり、聞き忘れたことがもう一つあると言って訊ねたのが、「ノーベル賞自然科学三賞の受賞者数を欧米諸国と較《くら》べると日本は極端に少ないが、アジア諸国に限ると日本人受賞者が際立《きわだ》って多いのは何故か」という問いであった。

意表を突く問いに一瞬とまどいを覚えて返答に窮したが、アジア諸国の多くの大学の同僚たちから、物理学や化学など自然科学の講義は英語の教科書を使い英語で教えているという話を聞いていたことを思い出して、「他のアジア諸国と違って、日本では理科や自然科学は母国語である日本語で書かれている教科書を使い、日本語で学んでいるからではないか」と答えた。

こう答えた背景には、アジア諸国の中で欧米の植民地《しょくみんち》支配を受けなかったのは日本とタイだけで、それ以外の諸国は支配の期間で差はあるが、使用する言語も支配された。これに反して、幸いなことに日本では普段の生活で使う言語（母語）と学ぶための言語が同じであるということが念頭にあった。

頭の中にあったのは、アジアではインド、シンガポール、マレーシアなどはイギリス、ベトナムはフランス、インドネシアはオランダの植民地になったことから、各国はそれぞれの旧宗《そう》主《しゅ》国の言葉を使って学校教育をしているということであった。つまり学ぶための言語と、日常生活で使う言語が違う。欧米の植民地支配を受けなかった日本は母語で多くの学問を学べるアジアでは珍しい国なのである。

日本人受賞者は際立って多いか

香港の特派員が言うように「アジア諸国に限ると日本人受賞者が際立って多い」かどうかを調べてみた。私が受賞した二〇〇〇年までにノーベル賞を受賞したアジア人は表1の通りである。

表1によると日本人を除くアジア人と日本人の比は5対6で、日本人受賞者が圧倒的に多いとはいえない。しかし、自国で学び、自国で行った研究が評価されてノーベル賞を受賞した人は、インド人のラマン（Raman）ただ一人だけで、比は1対6となり日本人が多い。日本人受賞者が圧倒的に多いとはいえないが、一九四九年に日本で初めてノーベル賞を受賞した湯川秀樹《ゆかわひでき》から二〇一九年の吉野彰氏までの受賞者数を調べると、表2の通りその比はさらに大きくなる。

日本人以外のアジア人受賞者は表3の通りで、二〇一五年に中国の屠呦呦《とゆうゆう》が生理学・医学賞を受賞している。自国で教育を受け、自国で行った研究成果が評価されてノーベル賞を受賞した研究者はインドのラマンと中国の屠呦呦の二人のみである。

アメリカで教育を受け、アメリカで行った研究成果が評価されて受賞した中国人二世らはこ

表1　2000年までのアジア人自然科学賞受賞者

受賞者名	賞	受賞年	受賞時の国籍	受賞対象の研究場所
Sir C. V. Raman	物理学	1930	インド	Calcutta University
湯川秀樹	物理学	1949	日本	京都帝国大学
楊振寧	物理学	1957	当時中華民国	Institute for Advanced Study, Princeton
李政道	物理学	1957	当時中華民国	Columbia University
朝永振一郎	物理学	1965	日本	東京教育大学
江崎玲於奈	物理学	1973	日本	東京通信工業（現：ソニー）
Abdus Salam	物理学	1979	パキスタン	International Centre for Theoretical Physics, Trieste, Imperial College of Science and Technology, London
福井謙一	化学	1981	日本	京都大学
李遠哲	化学	1986	中華民国	University of California , Berkeley
利根川進	生理学・医学	1987	日本	バーゼル免疫学研究所
白川英樹	化学	2000	日本	東京工業大学・筑波大学

の表に含めなかった。たとえば、中華民国あるいは中華人民共和国の国籍をもっていたが、その後アメリカ合衆国の国籍を取得した中国河南省出身のダニエル・チー・ツイ（Daniel Chee Tsui 崔琦。一九九八年物理学賞）、香港とイギリス出身のチャールズ・クエン・カオ（Sir Charles Kuen Kao 高錕。二〇〇九年物理学賞）、アメリカ人として受賞したサミュエル・ティン（Samuel C. C. Ting 丁肇中。一九七六年物理学賞）、スティーブン・チュー（Steven Chu 朱棣文。一九九七年物理学賞）、ロジャー・

表2　日本人の自然科学賞受賞者

受賞者	受賞年	賞
湯川秀樹	1949	物理学
朝永振一郎	1965	物理学
江崎玲於奈	1973	物理学
福井謙一	1981	化学
利根川進	1987	生理学・医学
白川英樹	2000	化学
野依良治	2001	化学
小柴昌俊	2002	物理学
田中耕一	2002	化学
南部陽一郎	2008	物理学
小林誠	2008	物理学
益川敏英	2008	物理学
下村脩	2008	化学
鈴木章	2010	化学
根岸英一	2010	化学
山中伸弥	2012	生理学・医学
赤崎勇	2014	物理学
天野浩	2014	物理学
中村修二	2014	物理学
梶田隆章	2015	物理学
大村智	2015	生理学・医学
大隅良典	2016	生理学・医学
本庶佑	2018	生理学・医学
吉野　彰	2019	化学

ヨンジェン・チエン（Roger Yonchien Tsien 銭永健。二〇〇八年化学賞）らは除いた。

日本人以外のアジア人と日本人の比は6対24だが、自国での研究成果が評価されて受賞した日本人以外のアジア人は二人に対して日本人は二四人と圧倒的に日本人が多い。何故、アジア諸国の中で日本人の受賞者が飛び抜けて多いのだろうか。

表3　日本人以外のアジア人自然科学三賞受賞者

受賞者	賞	受賞年	国籍
Sir C. V. Raman	物理学	1930	インド
李政道	物理学	1957	当時中華民国
楊振寧	物理学	1957	当時中華民国
Abdus Salam	物理学	1979	パキスタン
李遠哲	化学	1986	中華民国
屠呦呦	生理学・医学	2015	中華人民共和国

言語の役割――思考の道具と伝達の道具――

授賞発表の翌日、取材に訪れた外国人特派員の質問に「他のアジア諸国と違って、日本では理科や自然科学は母国語である日本語で書かれている教科書を使い、日本語で学んでいるからではないか」と答えたが、この回答自体を日本人受賞者の多さの根拠とするには、もとより一面的であるし、言語と学問の関係という面についてみても、この答えにはあまり自信がなく、独《ひと》りよがりの答えだったらまずいと思っていた。そのため、その後日本語と科学を修得《しゅうとく》するための外国語との関係について考え続けていたところ、二〇〇二年七月三一日付『朝日新聞』夕刊の文化欄に、文芸批評家で作家でもあった丸谷才一《まるやさいいち》氏が書いた「考えるための道具としての日本語」という文化コラムに目がくぎ付けになった。

丸谷氏はこのコラムで、「言語には伝達の道具という局面のほかに、思考の道具という性格がある。人間はことばを使うことができるから、ものが考えられる」と述べていた。私はこの主張に意を強くし二〇〇二年、『月刊国語教育研究』の巻頭言で、日本語で科学を学べることの重要性を述べ、終わりに、西欧で生まれた自然科学を、日本語で学び考えることができるのは、江戸中期から幕末にかけて、欧米の諸言語で書かれた教科書や学術書などを日本語に翻訳した先達《せんだつ》のおかげであると結んだ。

古くから日本の識者や学者たちは日本語を思考の道具として使ってきた。江戸時代から明治初期にかけて、中国から学んだ儒教《じゅきょう》を思想背景とする先達が、長崎の出島《でじま》という小さな窓を通してヨーロッパから伝わってきた書籍の翻訳に取り組み、西洋文化の概念と思想を紹介し、科学用語などの言葉を日本語に訳出し、その本質を日本語で表現することなどで、今日の科学の基礎を伝えた。その恩恵を私たちは受けていると述べた。

丸谷氏のコラムの主旨は、言語には「思考のための道具」と「伝達のための道具」の役割があり、現在の日本では思考のための道具としての日本語がなおざりにされているとする警告《けいこく》であった。

私たち日本人はあらゆる場面で母語である日本語を思考の道具として実践《じっせん》しているのだから、自然科学に限らず、人文科学、社会科学などの学術や芸術を学び究《きわ》めるには、自然や人間、社会をしっかり観察して、日本語で考えなければならない。このコラムを読んで、あの日に私が特派員に答えたことはあながち間違いではなかったと安堵《あんど》した。

ところで、科学技術振興機構《しんこうきこう》が実施している「日本・アジア青少年サイエンス交流計画」（さくらサイエンスプラン）の事業の中に、「さくらサイエンスハイスクールプログラム」がある。二〇一四年から毎年アジア三五の国や地域から高校生を招《まね》き、一週間の滞在中に日本の最先端の科学技術を体験し、日本の高校生と交流するというものである。このプログラムの一環として私は滞在中の半日を使って、ノーベル賞の受賞対象になった導電性高分子《どうでんせいこうぶんし》を使ったEL素子を作る実験教室を行っている。

実験の合間、参加した高校生たちに「あなたの国では数学や物理学、化学、生物学を何語で習っていますか？」と聞くと、インドの高校生たちは異口同音《いくどうおん》に「先生の授業も教科書も英語です」と答えるので、続けて「学校外で友達と話すときや、家庭で親兄弟と話すときに何語を話しますか?」と聞くと、「ヒンズー語が普通ですが、地域によってはそこの言葉で話します」と答えた。重ねて「夢で言葉を使う場面があるとすると何語を使いますか?」と聞くと、笑いをまじえて「ヒンズー語!」という答えが返ってきた。

学問を学ぶための言語と生活のための言語が別々なのである。マレーシアもシンガポールもブルネイも同様だった。この答えを聞いて、生活に立脚《りっきゃく》した言語を使わず、学問を学ぶためだけの言語で、新しい学問を創造することができるのだろうか、ただ浅く理解するだけで終わってしまうのではないかと疑問に思った。学術や芸術を学び創造し実践するということは、生活と一体化した行為なのではないだろうかというのが、私自身がこれまでの経験から感じてきたことでもある。

英語は伝達の道具として大切であることはいうまでもなく、学ばなくてもよいということではない。だが、必要に迫られて学んだ外国語よりも、生まれてこの方、使いこなしてきた日本語のほうが、より核心《かくしん》に迫った理解ができるし、より発想の自由度が大きいということも感じてきた。アジアの高校生との実験教室は、科学を母語として修得した日本語で学ぶ大切さを確信する機会となった。

アメリカのペンシルベニア大学で一年間、英語漬《づ》けの研究生活を送ったが、考える時はやはり日本語だった。当然のことながら会話は英語だが、相手が話す英語を無意識のうちに頭の中で日本語に翻訳していた。相手が話した内容は翻訳した日本語で覚えているのに、英語による会話そのものは正確には覚えていないという奇妙な体験をした。無意識に翻訳というひと手間をかけて母語で覚え考えていたようだ。

松尾義之《まつおよしゆき》氏は『日本語の科学が世界を変える』（筑摩選書、二〇一五年）でこう述べている。「母国語が日本語の人で、きちんと日本語で文章表現ができない人が、英語できちんと科学を表現できるはずがない。日本語で論理的に考えられない人は、英語でも論理的に考えられない」。続けて、「この当たり前の事実に立てば、逆に、日本語による素晴らしい発想や考え方や表現は、英語が持ちえない新しい世界観を開いていく可能性が高い。それこそが日本の科学だ。そう私は思う」（三七頁）と述べている。

このような松尾氏の主張に、丸谷氏の表現を当てはめるなら、「日本語によるすばらしい発想や考え方や表現」は日本語を〝思考のための道具〟とすることで可能になるといえよう。簡単にいえば、科学を実践するために必要な、よく観察し、よく記録し、よく調べ、そしてよく考えることを、日本語を使って行うことに他ならない。

松尾氏はまた「日本語の中に、科学を自由自在に理解し創造するための用語・概念・知識・

思考法までもが十二分に用意されているからである」（一四頁）と述べている。「科学を自由自在に理解し創造」できる日本語は、もちろんはじめから用意されたものではなく、歴史的な産物である。

私たちがよく知っているように、日本には古くから果敢に諸外国、とりわけ中国や朝鮮に渡って、その文化や宗教、芸術を学び、全面的に外国の文化などに置き換えるのではなく、翻訳という作業を通して、用語や概念を理解し、思考法を吸収し、新しい融合した文化を創造してきた歴史がある。

日本を代表する国際的知識人だった加藤周一《かとうしゅういち》氏（一九一九〜二〇〇八）は、中学生の国語教科書『伝え合う言葉　中学国語3』（教育出版）で、

……、しかし日本列島で発達した日本語は、その長い歴史の間に、主として中国語から多くの単語や語法を借用し、表現力の豊かな言葉となった。この言葉には、精密な考えを展開し、微妙な感情を表現できる限りない可能性がある。日本の科学技術や法体系や詩歌は、そのことを十分に示しているだろう。

祖先の文化的遺産の最大のものは、恐らく日本語である。粗末にするよりは大切に扱う

ほうが賢明だろうとわたしは思う。（『加藤周一自選集』10、岩波書店、二〇〇六年、三五八頁）

と日本語の特徴を述べている。

飛鳥《あすか》・奈良・平安時代に隋《ずい》や唐《とう》に派遣された遣隋使《けんずいし》や遣唐使《けんとうし》による、中国からの典籍や仏教の経典《きょうてん》などの収集、先進的な技術の取得があり、室町時代にはスペインやポルトガルとの南蛮《なんばん》貿易《ぼうえき》を通じた技術の取得、江戸時代には蘭学《らんがく》や洋学が隆盛《りゅうせい》し、蘭書・洋書の翻訳が盛んに行われるようになったことなどを挙《あ》げることができる。

また、江戸中期から幕末にかけて、町人や農民の子弟を対象とした読み書きやそろばんを教える寺子屋《てらこや》が全国津々浦々《つつうらうら》に設けられ、藩《はん》の子弟を教育するためにすべての藩に藩校が設立され、幕末には一部の藩校で化学・物理・医学などが教授された。

今日、私たちが日本語で自然科学をはじめとする学術を学べるのは、このような先人たちの努力と知恵のたまものである。以下に、当時はまったく未知だった西欧の科学と正面から向き合ったこれら先人の活躍を詳しく紹介する。

西欧文化との出会い

現代につながる科学・技術は過去に西欧より学んだものが多い。室町時代にはスペインやポルトガルとの南蛮貿易を通じて技術の取得が盛んに行われるようになった。記録に残る最も早い時期に日本に入国したヨーロッパ人はポルトガル人で、一五四三年に種子島《たねがしま》に上陸して鉄砲を伝えたとされているが、これより先の一五四一年に豊後国神宮寺浦《ぶんごのくにじんぐうじうら》（現在の大分市）にポルトガル船（明船《みんせん》ともいわれる）が漂着《ひょうちゃく》し、ポルトガル人が上陸したと伝えられている。ポルトガル人は中国から生糸《きいと》などを日本に運び、日本の銀と交換する貿易《ぼうえき》を始めた。いわゆる南蛮貿易である。キリスト教の布教も行われた。

一五四九年、イエズス会のスペイン人宣教師フランシスコ・ザビエルが現在の鹿児島市に到来してキリスト教を伝え、大友宗麟《おおともそうりん》（一五三〇～八七）、高山右近《たかやまうこん》（一五五二?～一六一五）、小西行長《こにしゆきなが》（一五五八?～一六〇〇）などのいわゆるキリシタン大名も登場した。一五五〇年ころには南蛮貿易が始まり、一五八〇年ころに織田信長《おだのぶなが》が自由貿易を奨励《しょうれい》したため、多数の外国人商人や宣教師が日本を訪れるようになった。

一五八二年に天正遣欧使節《てんしょうけんおうしせつ》がバチカンを訪れてローマ教皇《きょうこう》に謁見《えっけん》し、ヨーロッパ諸国を歴《れき》訪《ほう》して一五九〇年に帰国するなど、西欧との直接の交流が行われる機会もあった。しかし、一五八二年に政治の実権を握った豊臣秀吉《とよとみひでよし》が、一五八七年にバテレン追放令《ついほうれい》を出してカトリック教会の宣教師を追放した。江戸時代となり、一六三三年には海外渡航制限および海外居住者の帰国を制限し、一六三九年にはポルトガル人の来航を禁止するなど、数次にわたる禁止令が出されて日本は鎖国《さこく》状態に至った。そして、一六四一年、オランダ商館を幕府直轄《ちょっかつ》の出島に移したため、日本人はこの出島という小さな窓を通してしか世界を知ることができなくなった。

『蘭学事始』と蘭学の隆盛

一八一五年、八三歳になった杉田玄白《すぎたげんぱく》(一七三三〜一八一七)は、蘭学者やオランダ通詞《つうじ》などとの交遊や蘭学界のさまざまな出来事に加えて、前野良沢《まえのりょうたく》(一七二三〜一八〇三)、中川淳庵《なかがわじゅんあん》(一七三九〜八六)らとともに蘭書『ターヘル・アナトミア』を翻訳して『解体新書《かいたいしんしょ》』を公刊した折の苦労話を回顧《かいこ》して『蘭学事始《らんがくことはじめ》』(図1)を著《あらわ》した。

その意図を上の巻の冒頭で次のように述べている。「今時《きんじ》、世間《せけん》に蘭学《らんがく》といふ事《う》専《ことも》ら《っぱ》行《おこなわ》れ、志《こころざし》を立《た》つる人《ひと》は篤《あつ》く学《まな》ひ《び》、無識《むしき》なる者《もの》は漫《みだ》りにこれを誇張《こちょう》す。其初《そのはじめ》を顧《かえり》ミ《み》思《おも》ふ《う》に、昔《むかし》、翁《おう》か《が》輩《ともがら》二三人《にさんにん》、不図《ふと》此業《このわざ》に志《こころざし》を興《おこ》せし事《こと》なるが、はや五十年《ごじゅうねん》にちかく、今頃《いまごろ》斯《か》く迄《まで》に至《いた》るへ《べ》しとは露《つゆ》思《おも》ハ《わ》さ《ざ》りしに、不思議《ふしぎ》にも盛《さか》んになりしことなり」（このごろ、世間に蘭学ということがしきりに行なわれている。これに志をたてている人は熱心に学んでおり、よく理解していない者はやたらに誇張したてている。そもそもの初めを思いおこしてみるに、昔、わたしたち仲間二、三人で、ふとこの蘭学に志をおこしたことであったが、はや五十年ちかくもたってしまった。今ごろ、こんなにまでなるとは、ついぞ思ってもいないことであったが、不思議にも盛んになったことである。〈片桐一男全訳注『蘭学事始』講談社学術文庫、一一頁。以下の引用も同書による。ただし改行はすべて追い込み、適宜ルビを補う〉）。このように蘭学が隆盛に至ったことを語り、下の巻の終わりを「一滴の油は、これを広い池の水に落とすと、

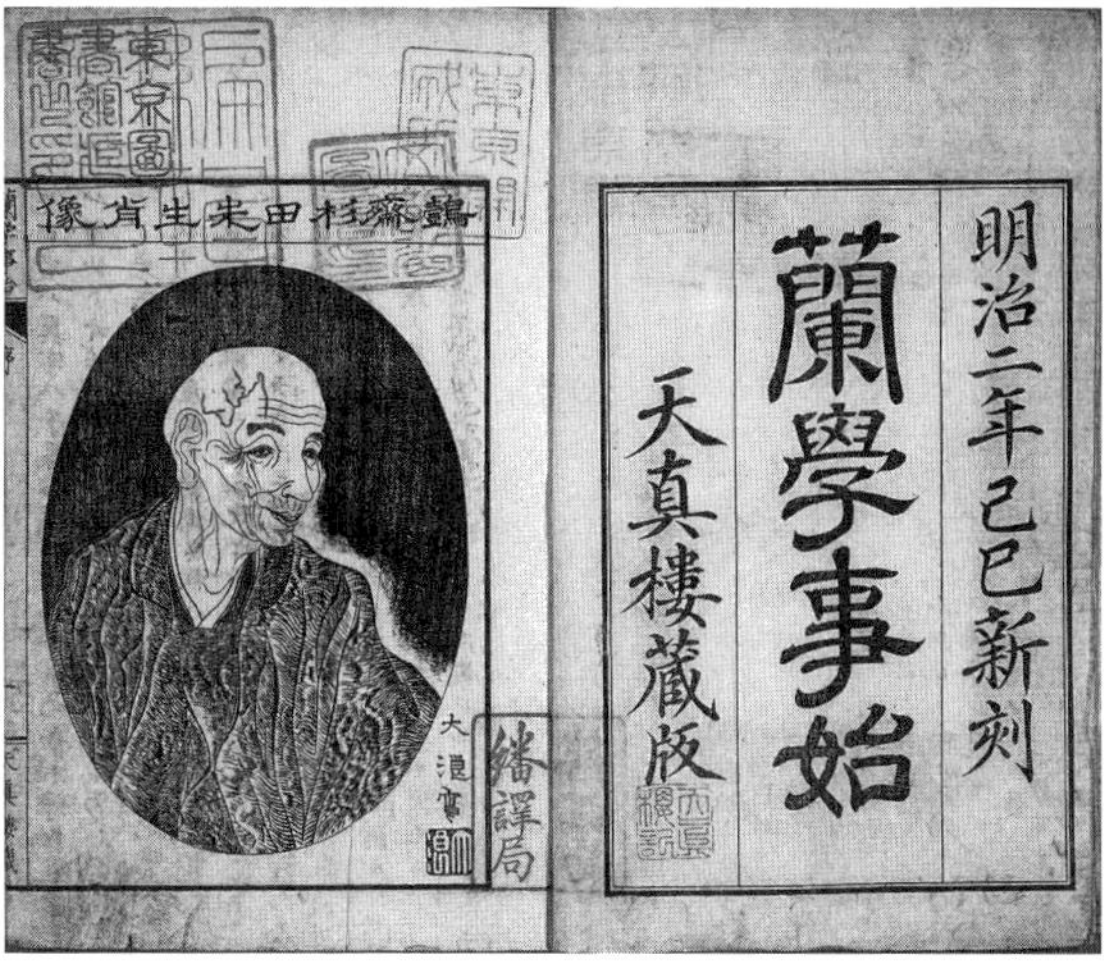

図1　杉田玄白著『蘭学事始』（東京 天真楼、明治2年〈1869〉刊）

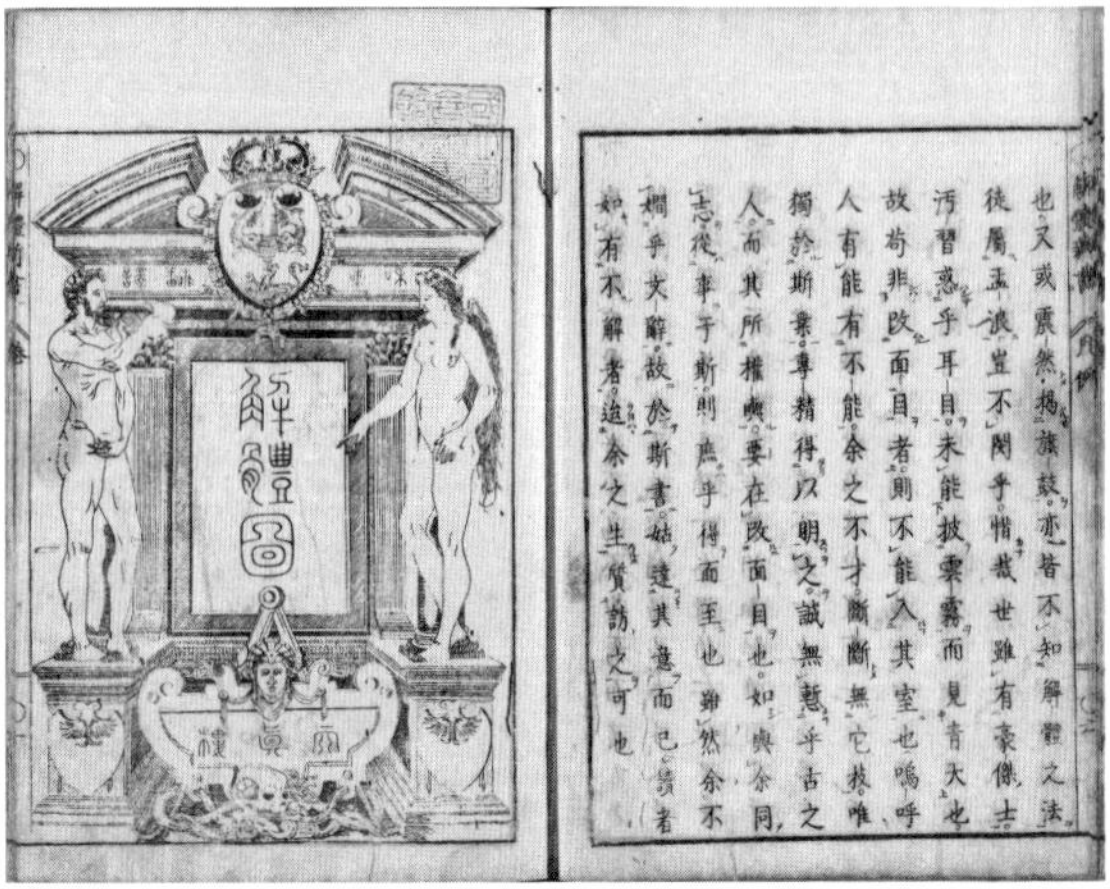

図2　『解体新書』巻一・序図

だんだんひろがって、やがて池全体におよぶという。ちょうどそのように、前野良沢・中川淳庵と、わたしと三人が申し合せて、かりそめに思いついたことが、五十年ちかい年月を経て、いまこの蘭学が全国におよび、そこかしこと四方にひろがり、年ごとに翻訳書も出るように聞いている。……かえすがえすもわたしはことのほかうれしい。この学問の道が開けたならば、百年・千年の、のちのちの医者が真の技術を体得し、人びとの生命を救うという広大な福益があるだろうと、まさに手舞い足おどるよろこびをおさえきれない。わたしは、さいわいにも天寿を長くさずかって、この学問の開けかかった最初からよく知っていて、今のように、こんなにさかんにいたったすがたを見ることのできることは、わが身に備わった幸いであるとばかりはいうべきでない。よくよく考えてみると、実はありがたいことに天下太平のおかげによって生じたことなのである。……この

図3　前野良沢

図4　大槻玄沢

年の卯月《うづき》（四月）に、これを自分の手で録し、玄《げん》沢《たく》・大槻《おおつき》氏に贈ることとした。私は、しだいに老い疲れてきたので、こののち、このような長いものを書き記すことができるとは思われない。まだこの世に生きているうちの絶筆であると心得て書きつづけたのである。前後していることはよいように訂正し、書き改めたならば、私の孫子らに見せてやってほしい。八十三歳、九幸翁、漫書す」（七九〜八二頁）と結んでいる。

『ターヘル・アナトミア』を翻訳した苦労話についても、玄白は『蘭学事始』上の巻で次のように綴《つづ》っている。「そのころは、デ（de）とか、ヘット（het）とか、アルス（als）、ウェルケ（welke）などという助語のたぐいも、なにがなにやら、はっきりとわかっていなかったから、すこしは記憶している単語があっても、文章の前後がいっこうにわからないことばかりであった。たとえば、「眉（ウェインブラーウ）というものは、目の上に生《は》えた毛である」とあるような一句でも、意味がぼんやりしていて、長い春の一日かかっても理解することができず、日が暮れるまで考えつめ、たがいににらみあっても、わずか一、二寸ばかりの文章でさえも、一行も理解することができないでしまうことであった。またある日、鼻のところで、「フルヘッヘンド（verheffend）しているものである」というところにいたった。しかし、この語がわからない。これはどのようなことなのだろうかと考え合ったが、なんともいたしようがない。そのころはウォールデンブック（woordenboek 釈辞書）というものもなかった。やっとのことで良沢が長崎から求めて帰った簡略な一小冊子があったのを参照したところ、フルヘッヘンドの注釈に、「木の枝を切り取れば、その跡がフルヘッヘンドをなし、また庭を掃除すれば、その塵土《じんど》が集まってフルヘッヘンドする」というように読みとれた。「これはどういう意味なのだろうか」と、またいつものようにこじつけて考え合ってみたが、どうにもわからなかった。そのとき、ふとわたしが思ったことなのだが、「木の枝を切ったあと、切り口がなおると堆《うずたか》くなる。また、掃除をして、塵《ちり》や土が集まれば、これも堆くなる。鼻は顔のまん中にあって、堆くなっているものであるから、〝フルヘッヘンド〟とは〝堆〟ということであろう。ということであれば、この語は〝堆《うずたか》し〟と訳してはどうだろうか」というと、みなはこれを聞いて、「いかにももっともである。〝堆し〟と訳せば、ぴったりであろう」といって、決定した。そのときの嬉しさは、何にたとえようもなく、世にも至宝といわれる「連城《れんじょう》の玉」をも手に入れた心地がした。このように推理しては訳語を決定していった」（四四〜四六頁）。

「ウェインブラーウ」の一句を「眉」と訳すのに、ぼんやりとしていて長い春の一日では理解に至らず、日が暮れるまで考え詰《つ》め、お互いににらみ合っても、わずか一、二寸ばかりの文章でさえも、一行も理解できなかった。そのため、「フルヘッヘンド」の訳語を「堆し」と決定できたこととの嬉しさは、何にたとえようもなく、世に至宝といわれる「連城の玉」を手に入れた心地がした、と玄白は記している。

続けて、「その数もしだいにふえていって、良沢がすでに覚えていた訳語の書き留め帳をも増補していったのである。そんななかでも、「シンネン（zinnen 精神）」などということが出てきたときなど、いっこう考えもつかないことも多かった」（四六頁）と記して、翻訳の苦労を顧《かえり》み、訳語の増加に心を弾《はず》ませた。現在でも使われている神経《しんけい》、盲腸《もうちょう》、十二指腸《じゅうにしちょう》、鼓膜《こまく》、軟骨《なんこつ》、動《どう》脈《みゃく》、骨膜《こつまく》、咽頭《いんとう》などの医学用語はこのような苦労の末に翻訳されたもので、どのような漢字を使えば原語の意味や語感を損《そこ》なわずに翻訳できるか苦労した様子が読み取れる。

「フルヘッヘンド」の一節は戦前の国語の教科書にも使われたほど有名になったが、原著『ターヘル・アナトミア』の該当部分には「フルヘッヘンド」という語は記載されていないという指摘があり、玄白の誇張《こちょう》か思い違い、あるいは何かの事情があってたとえ話として「フルヘッヘンド」という語を使ったのではないかという説もある。

江戸時代、外国との唯一の窓口だった長崎の出島には、貿易や通訳の仕事に携《たずさ》わったオランダ通詞とよばれる世襲《せしゅう》の役人がおり、オランダ語の通訳を家業としていた。

当時、鎖国状態だった日本ではキリスト教の布教はもちろんのこと、幕府による西洋諸国との交易などは厳しい禁制の下にあった。彼らはオランダ語の学習さえ満足にできず、そのためオランダ通詞の能力は、玄白が『蘭学事始』に記したところによると、「ただオランダ語を片仮名で書き留めておく程度で、口で覚えて通弁の用を足すぐらいで年月を経てしまった」（上の巻。一七頁）という状況だった。

また同書の上の巻には、徳川吉宗《よしむね》の時代（一七一六～四五）に、オランダ通詞の西善三郎《にしぜんざぶろう》（?～一七六八）、吉雄幸左衛門《よしおこうざえもん》（耕牛、一七二四～一八〇〇）、「今壱人何某《ひとりなにがし》」（本木良永《もときりょうえい》といわれている）らがこのような状況を改善すべく、横文字を習い、蘭書を読んでもよいことの許可を求めたところ、幕府からすぐに許可が出た。これは、オランダ人が渡来するようになってから一〇〇年あまりして横文字が学ばれたはじめである、ということを述べている。

しかしながら、このとき吉宗が解禁したのはキリスト教とは関係のない漢訳の洋書であり、蘭書の輸入が解禁されたわけではなかった。

このような事情もあり、当時、玄白をはじめ江戸の蘭学者は長崎のオランダ通詞の地位や能力を低くみていたようだ。しかし、実際には玄白らによる『ターヘル・アナトミア』の翻訳以前に、長崎のオランダ通詞本木良永（一七三五〜九四 図5）が多くの蘭書を翻訳し、西洋の自然科学をわが国に紹介していた。一七九二年に翻訳した『太陽窮《たいようきゅう》理《り》了解説《りょうかいせつ》』（図6）はその一つで、ニコラウス・コペルニクス（Nicolaus Copernicus 一四七三〜一五四三）の地動説《ちどうせつ》を説明するなかで「惑星（まどいほし）」という用語を創出するほどオランダ語に通じていた。彼らのオランダ語の知識は玄白が指摘したように低いものではなかったのである。

『太陽窮理了解説』はイギリス人のジョージ・アダムスの天文書（英語版 一七六六年）のオランダ語訳版（一七七〇年）を和訳した本で、「太陽窮理」は太陽系のことをいう。彼はまた『阿蘭《おらん》陀《だ》地《ち》球《きゅう》図《ず》説《せつ》（和蘭地球図説）』や『天《てん》地《ち》二《に》球《きゅう》用《よう》法《ほう》』でわが国に初めてコペルニクスの太陽中心説（地動説）を紹介したことで知られている。

図5　本木良永

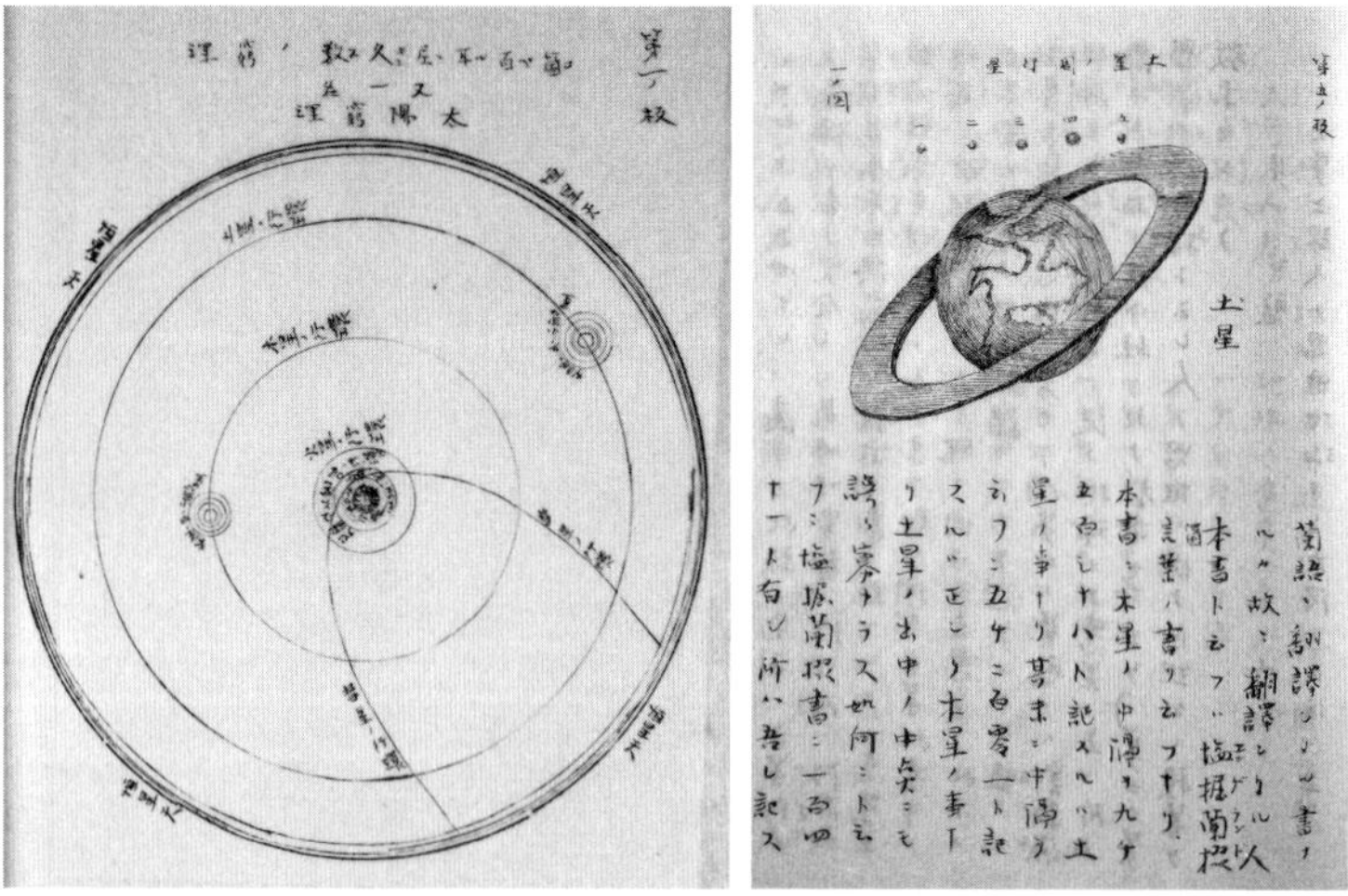

図6　本木良永訳『太陽窮理了解説』(寛政4年〈1792〉)(大正新写本)
左：箇百耳尼久数(コペルニクス)ノ窮理(太陽窮理)　右：土星の周行星(衛星)

儒学と洋学との出会い——新井白石とシドッチ——

鎖国の最中で、しかも切支丹禁制《きりしたんきんせい》の下、捕えられることをあえて承知の上で日本での布教を企《くわだ》てるべく、一七〇八年に屋久島《やくしま》に上陸したイタリア人カトリック司祭ジョヴァンニ・バッティスタ・シドッチ（Giovanni Battista Sidotti 一六六八〜一七一四）は、すぐに捕えられて長崎に送られ尋問《じんもん》を受けたが、オランダ通詞では要領を得なかったので江戸に差し回され、江戸小日向《おびなた》の切支丹屋敷に幽閉《ゆうへい》されることになった。

そのシドッチを時の将軍第六代徳川家宣《いえのぶ》（一六六二〜一七一二、在位一七〇九〜一二）の特命で四回にわたって尋問したのが新井白石《あらいはくせき》（一六五七〜一七二五）だった。白石は家宣と七代家継《いえつぐ》（一七〇九〜一六、在位一七一三〜一六）の下で、幕政を主導した儒学者であり政治家でもあった。

白石は幼少のころから父と久留里《くるり》藩主土屋利直《つちやとしなお》（一六〇七〜七五）から過酷《かこく》な勉学を強《し》いられて育ち、幼いころから奇才《きさい》ありといわれた。四歳で文字を習い、七歳のころ兄に連れられて演劇を観たのち、家に帰ってその内容をことごとく話したという。また、藩主の書簡はすべて白石が清書したと伝えられている。江戸時代前期の儒学者木下順庵《きのしたじゅんあん》（一六二一〜九九）から朱子学《しゅしがく》を学び、木門十哲《もくもんじってつ》の一人とされている。

白石は尋問の結果に基づき『西洋紀聞《せいようきぶん》』上・中・下三巻と、わが国最初の世界地理に関する概説書ともいうべき『采覧異言《さいらんいげん》』を著《あらわ》した。白石とシドッチとのあいだがらは、単に尋問する側と尋問される側にとどまることはなかったようだ。宗教や思想、哲学などのすべてにおいて相異なる二人だったが、四回の尋問を通して白石はシドッチの人となりや幅広《はばひろ》い学識に感銘を受け、また、シドッチも白石の人格と深い学識に感銘を受けた。しかし、キリスト教の教義についてでは、白石は批判的であり、『西洋紀聞』下巻にはイエス・キリストやローマ教会、教皇庁の職制などを解説しつつ、するどくキリスト教を批判している。

白石は尋問に当たって十分な下調べをしていたようで、たとえばイタリア出身のイエズス会宣教師ジュゼッペ・キアラ（Giuseppe Chiara 一六〇二～八五）が一六七四年に役人から要求されて書いた『天主教大意《てんしゅきょうたいい》』三巻を宗門奉行《しゅうもんぶぎょう》から与えられて目を通していた。キアラは一六四三年に布教を目的として日本に潜入したが捕らえられ、迫害《はくがい》と拷問《ごうもん》の責《せ》め苦に耐《た》えかねて棄教《ききょう》し、幕府から岡本三右衛門《おかもとさんえもん》という日本名を与えられ、幕府の宗門改役《しゅうもんあらためやく》を勤め、生涯にわたって切支丹屋敷から出ることは許されなかった。

『天主教大意』には「其《その》教の本意併《ならび》に地勢等をかんがえ候《そうろう》に謀略《ぼうりゃく》の一事はゆめゆめあるま

じき事」と記されており、鎖国に至った根本的な理由とされた、布教により日本を侵略《しんりゃく》し奪《うば》い取《と》る「奪国論《だっこくろん》」を否定しており、白石はこの記述をシドッチの尋問でも確かめることができた。白石は「彼《かの》国の人、其《その》法を諸国にひろめ候事、国をうばひ候謀略にては無之《これなく》、段々《だんだん》分明に候」と記しており、教えそれ自体に侵略の意図があるわけではないと、キリスト教と日本侵略を切り離して考えていたようだ。

このことがきっかけになり徳川吉宗は一七二〇年に禁書令《きんしょれい》を緩和《かんわ》し、キリスト教関係を除く書籍の輸入を認め、中国のイエズス会士たちが漢訳した蘭書が国内に普及することになった。その後、一七四〇年ころから青木昆陽《あおきこんよう》（一六九八～一七六九）や野呂元丈《のろげんじょう》（一六九四～一七六一）にオランダ語を学ばせるなど、積極的に海外事情を取り入れ始めた。

白石がシドッチの尋問を引き受けたのは、生来の知的好奇心と知識欲、とりわけ長く鎖国を続けてきた日本にあって、邪宗《じゃしゅう》ともいうべきキリスト教とその布教を問い調べることだけではなく、天文、地理、社会、政治、文化、学術などの西洋事情を知る貴重な機会と捉えたためであろう。当時の日本における教養の基本だった儒学と洋学とが出会う一大事件であった。

白石は『西洋紀聞』上巻で、シドッチを「およそ、その人博聞強記にして、彼方多学の人と聞えて、天文地理の事に至りては、企《くわだて》及《およ》ぶべしとも覚えず」と評している。白石をして「その人博聞強記にして」と言わせただけあって、シドッチは驚嘆すべき博学の持ち主であった。シドッチ自身、「西洋の学問はその科目が多く、その中で私は一六科目に精通している」と言っている。これら一六科目の内容は詳らかではないが、神学、教会法、文法、修辞学《しゅうじ》、哲学、論理学、倫理学《りんり》、形而上学《けいじじょう》、数理学、数学、物理学などであったと思われる。

たとえば、天文に関する知識の深さについてはこんなエピソードが伝わっている。第一回の尋問が終わりに近づき、日が西に傾《かたむ》いてきたので、白石がお役人に時刻を訊《たず》ねたところ、お役人は「この辺りには時を告げる鐘がなくて……」と言いよどんだ。そのわずかな間に、シドッチは太陽の方角と自分の影を見計《みはか》らって指を折り数えて、わが国の暦では某年某月某日の某時刻であると指摘したという。これは和算の算法でいう鉤股弦《こうこげん》の法（直角三角形の直角を挟む短辺〈鉤〉と長辺〈股〉と直角に対する辺〈弦〉との関係を用いた算術で、ピタゴラスの定理に同じ）を使った日時の算出に他ならない。白石は「たやすき事と見えしかど、かくたやすくいひ出しぬべしともおもはれず、……」と驚嘆《きょうたん》した。

志筑忠雄と「地動説」

先に述べたように、幕府による厳しい禁制の下でも、西洋の学問に興味を抱く通詞《つうじ》や漢方医《かんぽうい》、識者たちがいた。通訳の仕事だけでなくオランダ語文法を研究したり、書籍の翻訳をしたりする通詞さえ生まれた。

彼らの中でもとりわけ抜きんでていたのが、オランダ語の文法を本格的に研究した最初の日本人といわれる志筑忠雄《しづきただお》（中野柳圃《なかのりゅうほ》。一七六〇〜一八〇六）である。忠雄は蘭書翻訳の先駆者であった本木良永からオランダ語を習得した優れたオランダ通詞であったばかりでなく、オランダ語を習得する過程で、西欧の科学思想に基づいた博物学に興味を抱き、自然科学を手の内にすべく、オランダ語で書かれた数多くの書籍の翻訳に取り組んだ。

その一つが『暦象新書《れきしょうしんしょ》』である。イギリス人ジョン・ケイル（John Keill 一六七一〜一七二一）がラテン語で著した『*Introductiones ad veram Physicam et veram Astronomiam*』（真正なる自然学および天文学の入門書）のオランダ語訳本を自説を加えて翻訳した書で、コペルニクスの太陽中心説、ニュートン力学、ケプラーの法則、真空などの概念について述べている。この書の中で忠雄は「太陽中心説」を使わず「地動説」という訳語を使ったり、ニュートン力学を理解したうえで地動説を論じたりしている。この他に彼がこの書で造った訳語には、「引力」「求心力」「遠心力」「重力」「加速」「動力」「速力」「楕円《だえん》」「弾力」「物質」「分子」などの現在でも使われているものがある。また、科学技術用語ではないが「鎖国」も彼の造語である。十、一、÷、√といった記号を日本に初めて紹介したのも忠雄であった。

ところで、地球が太陽の周りを巡《めぐ》っているとする説（太陽中心説。いわゆる地動説）を最初に唱えたのは一般的にはコペルニクスとされているが、それ以前にも地球が動いていると考えた人がいた。その時期は紀元前三世紀にもさかのぼる。古代ギリシャの天文学者アリスタルコス（Aristarchus 前三二〇〜前二三〇ころ）は、地球は自転しながら太陽の周りを公転していると考えた。コペルニクスが唱えたのは太陽中心説の再発見ともいうべき説であるが、太陽を中心として公転周期の短い惑星、すなわち内側から水星、金星、地球、火星、木星、土星の順に太陽の周りをまわっていると考えることで、惑星の動きを簡単に説明できることに新しさがあった。

江戸期にこの説が紹介されると、高名な算学者・天文学者であり蘭学者であった本多利明《ほんだとしあき》（一七四三〜一八二一）は、著書『西域物語《せいいきものがたり》』で「……大地が飛び旋《まわ》るといふ説に肝《きも》を潰《つぶ》し、一向諾《うべな》ふ人もなかりしなり、ゆへに日本にて高名たる人も此《この》説を聞き、大《おおい》に肝を潰して曰《いわく》、此大地が飛び旋《まわり》たらば飯椀《めしわん》も水瓶も倒れ返り、家も蔵も破《やぶ》れ砕《くだ》けん、どうして左様《さよう》の事あるべき迚《とて》、一向承容なき人のみ多し」と記すほど世の中では理解されなかった。

地動説の「地動」の意味は、たとえば、三省堂の『大辞林』には、「①大地が動く事。地震。②地球の運動。すなわち、地球の自転と公転」とある。江戸期でも「地動」の意味は一義的に地震を指していたと思われる。そうすると、忠雄はこのことを承知の上で「太陽中心説(heliocentricism)」をあえて「地動説」という語句で訳したことになるが、この訳語を用いた理由ははっきりしない。宗教や思想の違いがものの見方や表現に影響するであろうし、またそれまでにあった言葉に別の意味づけを行うことで、新しい言葉を生み出すほうが直感的で分かりやすい場合もあるだろう。訳語を創造することの困難さを再認識させられる。

百科事典や辞書の編纂

一八一一年、第一一代将軍徳川家斉《いえなり》(一七七三〜一八四一、在位一七八七〜一八三七)の命により、江戸幕府は蕃書和解御用《ばんしょわげごよう》という主として蘭書を翻訳する公的な翻訳機関を設け、馬場佐十郎《ばばさじゅうろう》(貞由《さだよし》。一七八七〜一八二二)、大槻玄沢《おおつきげんたく》(一七五七〜一八二七)、宇田川玄真《うだがわげんしん》(一七六九〜一八三四)、宇田川榕庵《ようあん》(一七九八〜一八四六)、大槻玄幹《げんかん》(一七八五〜一八三八)、小関三英《こせきさんえい》(一七八七〜一八三九)、湊長安《みなとちょうあん》(一七八六〜一八三八)、青地林宗《あおちりんそう》(一七七五〜一八三三)ら、当時の著名な蘭学者たちに、フランス人ノエル・ショメール(Noël Chomel 一六三三〜一七一二)が編集した『家庭百科事典』

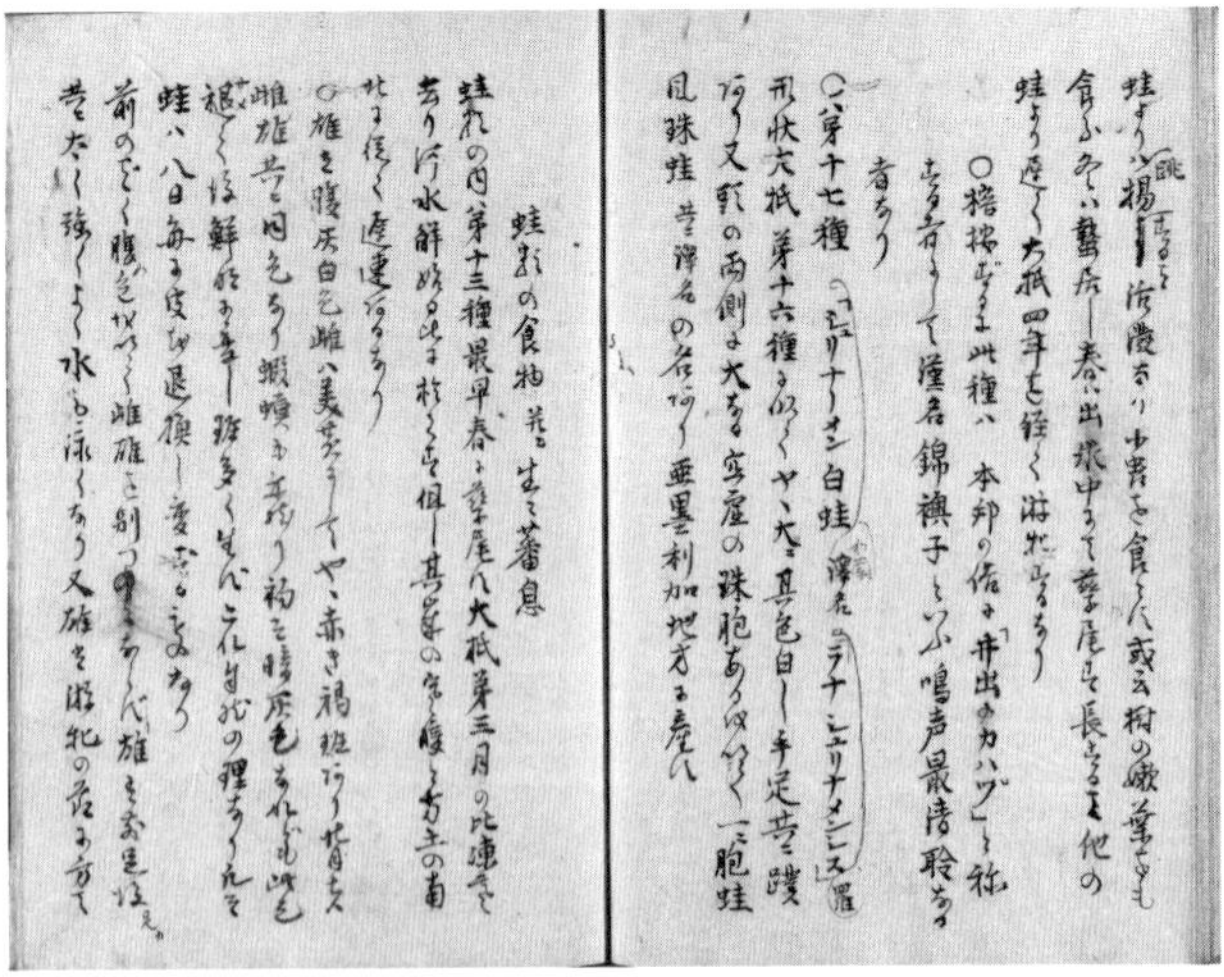

図7　『厚生新編』宇田川榕庵自筆原稿
上：表紙　下：蛙の項

(*Dictionnaire œconomique*) のオランダ語版 (*Huisboudelyk Woordboek*) の翻訳に当たらせた。一八四五年までおよそ三五年の歳月をかけて『厚生新編《こうせいしんぺん》』七〇巻 (図7) として編纂され、その稿本が幕府に献上されたものの、今日に至るまで出版されていない。全七〇巻とされているが、その後続篇とみられる三二冊が古書店で発見されており、このことからAからWまでの項が翻訳されていることが分かった。しかし、かなり多くの部分が欠本のままである。

三〇年もの長きにわたり翻訳を続けた蘭学者たちの意欲と根気は並のものではない。本書は鎖国状態の下で直接西欧人から知識を受ける機会も、渡欧する機会もなかった当時の蘭学者だけでなく、西洋事情を知りたい多くの知識人や一般の人々にも最新の西洋科学を提供する重要な役割を果たした。

宇田川家三代

宇田川家は蘭学の名門として知られ、代々江戸詰の津山《つやま》藩医だった。とりわけ、玄随《げんずい》(一七五五〜九七 図8)、玄随の養子として宇田川家を嗣いだ玄真 (図9)、玄真の養子となった榕庵 (図10) の三人は宇田川家三代として知られている。

図8　宇田川玄随

宇田川玄随は父津山藩医宇田川道紀《うだがわみちのり》（一七一〇～六〇）の跡を嗣いで漢方医として藩医を務めていたが、桂川甫周《かつらがわほしゅう》（一七五一～一八〇九）や大槻玄沢から西洋医学を学んで蘭方医に転じ蘭学を学んだ。オランダの医師ヨハネス・ゴルテル（Johannes de Gorter 一六八九～一七六二）の内科書を翻訳して、日本初の西洋内科書『西説内科撰要《せいせつないかせんよう》』（全一八巻）を一七九三年に刊行し始めたが、完成を見ることなく最初の出版から四年後の一七九七年に四三歳で亡くなり、養子の玄真が遺志を継いだ。

宇田川玄真は大槻玄沢、宇田川玄随、桂川甫周らについて蘭学を学び、杉田玄白にその才能を見込まれ養子となるが、身を持ち崩《くず》したために離縁《りえん》された。その後、跡継ぎがなかった宇田川玄随の養子となり宇田川家を嗣いだ。西洋の医書数冊を翻訳し、これらの要点をまとめて解《かい》剖《ぼう》学、病理学、生理学などを紹介した『医範提綱《いはんていこう》』や薬学書『和蘭薬鏡《おらんだやっきょう》』、『遠西医方名物考《えんせいいほうめいぶつこう》』などを著した。『遠西医方名物考補遺《ほい》』は後に榕庵が中心となって編纂した『遠西医方名物考』の不足を補う書である。この書の元素篇には後に述べる榕庵の著書『舎密開宗《せいみかいそう》』でも記述され

図9　宇田川玄真

図10　宇田川榕庵

ている元素名の「窒素《ちっそ》」や「炭素《たんそ》」の記述があるが、これらは榕庵の訳出によるものである。

『医範提綱』は解剖学だけでなく生理学や病理学も盛り込まれ、仮名交《かなま》じりの文章で分かりやすく書かれているために、西洋医学の入門書として重宝され、何度も版を重ね、明治になっても医学校の教科書として使われたといわれている。西洋医学の知識を広めたこの書が医学の発展に果たした役割は大きく、この書で定着して現在も使われている身体器官の名前は多い。たとえば、『解体新書』では「厚腸《こうちょう》」「薄《はく》腸」と訳されていた器官の名称を、この書で初めて「大腸」「小腸」と言い換え、またリンパ腺の「腺」や膵臓《すいぞう》の「膵」は中国で作られた漢字ではなく、実は玄真が器官の働きを考えて新しく作った文字（国字）で、「腺」の字は今では逆に中国でも使われている。

宇田川榕庵は化学や植物学に大変興味をもっており日本で初めて化学や植物学などの蘭書を翻訳出版した。幼少のころから利発《りはつ》で、宇田川玄真にその才能を見込まれて洋学の名門宇田川家の養子に迎えられた。早くに洋学を学びたかったが養父玄真から教養の基礎である漢学を学ぶよう強く諭《さと》されて、後漢末期から三国時代に編集された漢方医学の古典『傷寒論《しょうかんろん》』や明代の李時珍《りじちん》（一五一八～九三）が編んだ薬学書『本草綱目《ほんぞうこうもく》』などを読み解くとともに、儒学を松下葛山《まつしたかつざん》（一六九九～一七七九）に、漢方を能條保庵《のうじょうほあん》（生没年不詳）、本草学を井岡桜仙《いのおかおうせん》（一七七八～一八三七）に学んだ。しかし、蘭学へのあこがれは断ちがたく、一八一四年にオランダ語を学ぶために馬場佐十郎の塾に入門し、さらに吉雄耕牛の孫の吉雄俊蔵《しゅんぞう》（一七八七～一八四三）や耕牛の姪《てっ》孫《そん》の吉雄忠次郎（一七八七～一八三三）について学びを深めた。榕庵は玄真の著述『遠西医方名物考』を手伝ううちに、植学（植物学）や動学（動物学）、舎密（化学）などを学ぶ必要があることを知り、また、オランダ商館医として長崎の出島に滞在したシーボルト（フィリップ・フランツ・バルタザール・フォン・シーボルト Philipp Franz Balthasar von Siebold 一七九六～一八六六。日本滞在は一八二三～二九、一八五九～六二の二回）との交流を通じて西洋植物学を深く学んだ。

宇田川榕庵の活躍――植物学と化学――

宇田川榕庵はフランスの著述家であり司祭でもあったノエル・ショメールの『家庭百科事典』を読んで、西洋には植物の構造や形状で分類し、動物と同じように子孫を残すための諸器官とその役割を調べる植物学があることを知った。従来の本草学が実用的で薬になる植物や、天然に存在し人間にとって有用な医薬になる植物、動物、鉱物などしか対象にしなかったのに反して、有用であるかないかにかかわらず、自然のありのままを深く解明しようとする西洋の植物学に心を惹《ひ》かれたようである。

榕庵の西洋植物学に対する興味は深まり、一八二二年、二四歳の時に日本初の植物学書『菩《ぼ》多尼訶経《たにかきょう》』（図11）を出版した。「菩多尼訶《ぼたにか》」とはラテン語で植物学を意味するbotanica（ボタニカ）という語の発音を漢字の音で表した言葉である。この書は学術書ではあるものの、「如是我聞。西方世界。有孔刺需斯《コンラデュス》。健斯涅律私《ゲンス子リュス》。木里索肉私《モリソニュス》。……」という仏教のお経の形式を取っている。このような形式を用いたのは、若く才気溢れる榕庵が、当時広く普及していたお経のように、広く多くの人々に本書を読んでほしいと願ったからであろう。それはともかく、日本

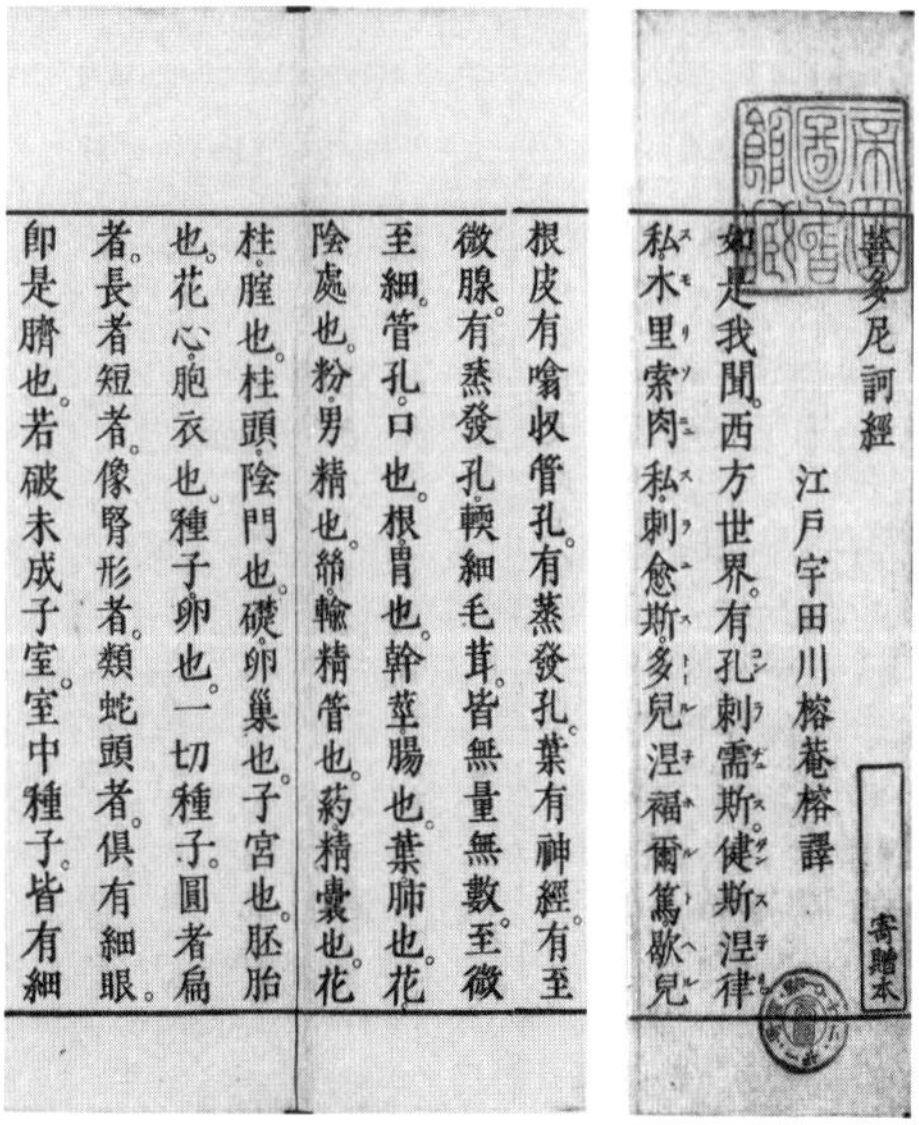
菩多尼訶經
江戸宇田川榕菴榕譯
如是我聞。西方世界。有孔刺需斯健斯涅律私木里索肉私刺愈斯多兒涅福爾篤歇兒
寄贈本
根皮有噏收管孔。有蒸發孔。葉有神經。有至
微腺有蒸發孔。輭細毛茸。皆無量無數。至微
至細管孔。口也。根胃也。幹莖腸也。葉肺也。花
陰處也。粉男精也。絲輸精管也。葯精囊也。花
柱膣也。柱頭陰門也。礎卵巢也。子宮也。胚胎
也。花心胞衣也。種子卵也。一切種子。圓者扁
者。長者短者。像腎形者。類蛇頭者。倶有細眼。
即是臍也。若破未成子室。室中種子。皆有細

図11　『菩多尼訶経』
右:巻首　左:植物の器官を動物の生殖器官と対比している部分。

古来の本草学とはまったく異なる西洋の植物学を初めて日本に紹介した書として注目される。

その後一八三四年、西洋植物学を日本で初めて体系的に紹介する植物学書『植学啓原《しょくがくけいげん》』（図12）を出版した。榕庵と同じ津山藩医であり蘭学者だった箕作阮甫《みつくりげんぽ》（一七九九～一八六三）はこの書の序文を頼まれて、冒頭に「亜細亜東辺之諸国、止有本艸而無植学也。有斯学而有其書、実以我東方榕庵氏為濫觴云」（亜細亜《あじあ》東辺の諸国には、止《わず》かに本草有るのみにして植学なきなり。斯《こ》の学有りて其の書有るは、実《まこと》に我が東方榕庵氏を以て濫觴《らんしょう》と為《な》す）と、これまで東アジア諸国には本草学はあったが、植学（植物学）はなく、そうしたなかで宇田川榕庵先生がわが国に植物学を興したと述べ、さらに、「蓋本草者、不過就名識物、詳気味能毒。猶如知角者牛、鬣者馬。不甚与究理相渉也。若夫所謂植学者、剖別花葉根核、弁析各器官能、猶

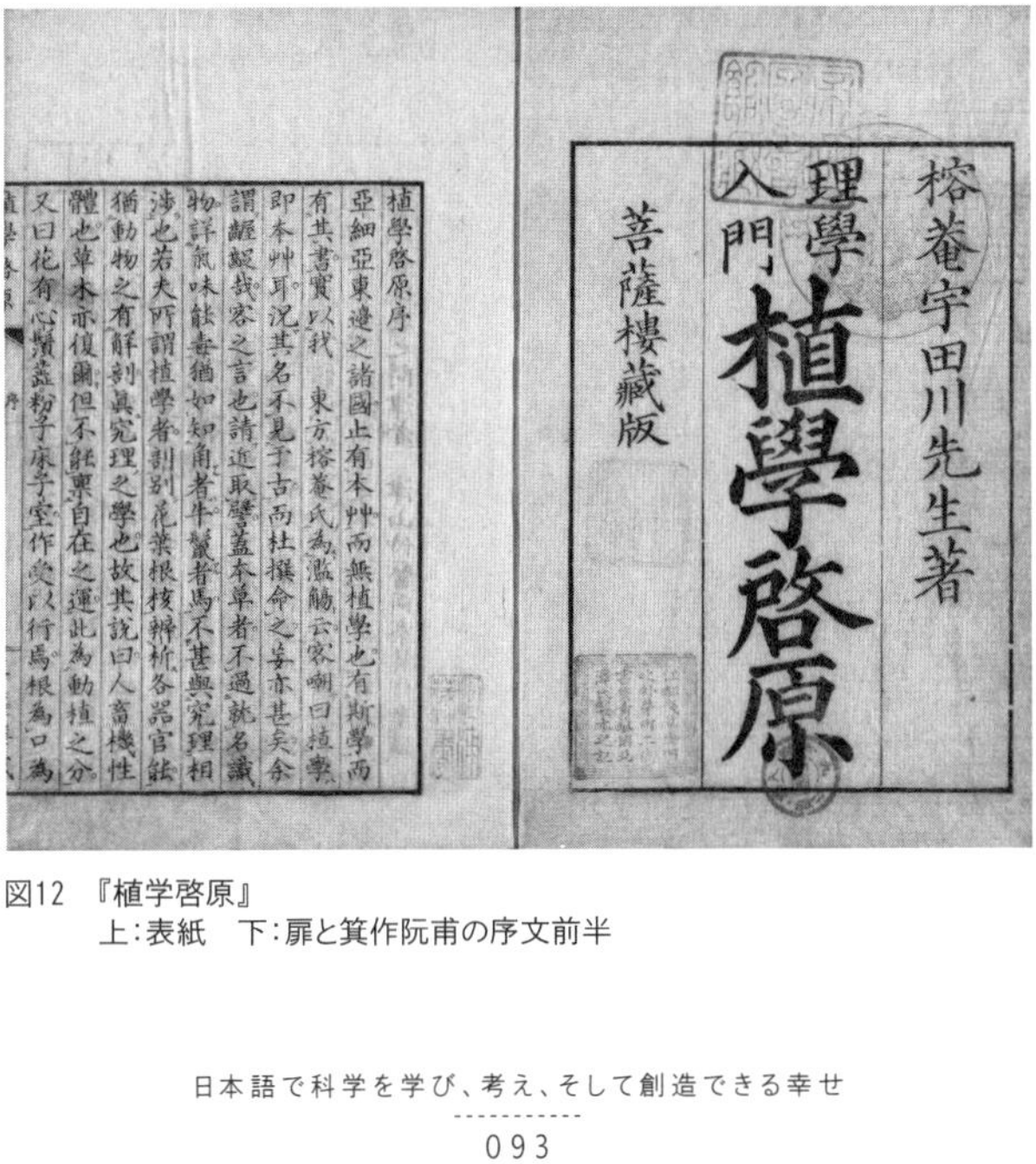

図12　『植学啓原』
上：表紙　下：扉と箕作阮甫の序文前半

動物之有解剖。真究理之学也」（蓋《けだ》し本草とは、名に就《つ》いて物を識《し》り、気味能毒を詳《つまび》らかにするに過ぎず。猶角《なおつの》ある者は牛、鬣《たてがみ》ある者は馬なるを知るが如《ごと》し。甚《はなは》だ究理と相渉《あいわた》らざるなり。夫《か》の所謂《いわゆ》る植学の若《ごと》きは、花葉根核を剖別《ぼうべつ》し、各器の官能を弁析《べんせき》すること、猶《なお》動物の解剖有るがごとし。真《まこと》に究理の学なり）と書いて、旧来の本草学と西洋植物学の違いを的確に指摘している。現在も使われている花粉、葯《やく》、繊維、雌花《めばな》、雄花《おばな》、花柱《かちゅう》、花梗《かこう》、花頭《かとう》、柱頭《ちゅうとう》、気孔《きこう》、単葉《たんよう》、複葉《ふくよう》、葉柄《ようへい》、澱粉《でんぷん》などの植物用語は本書を著述する過程で、オランダ語を翻訳したときに榕庵が創出した言葉である。榕庵が「花粉」と訳したオランダ語の stuifmeel は、stuif が細微、meel が粉を意味しており、花の意味を含んでいない。このため榕庵は当初「粉球《ふんきゅう》」とも訳したが、より理解しやすい「花粉」を採用して今日に至った。同じころ、伊藤圭介《いとうけいすけ》（一八〇三～一九〇一）もスウェーデンの植物学者ツュンベリー（Carl Peter Thunberg 一七四三～一八二八）が著した『*Flora Japonica*』を翻訳して『泰西本草《たいせいほんぞう》名疏《めいそ》』を著した折に、「雄蕊《おしべ》」や「雌蕊《めしべ》」、「花粉」の訳語を用いている。

　榕庵は西洋の植物学ばかりでなく化学にも興味を抱いたが、養父の宇田川玄真の影響を受けてのことであろう。先述のとおり、玄真は榕庵との共著書『遠西医方名物考』など数々の医書を翻訳したばかりでなく、日本初の蘭和《らんわ》辞書『ハルマ和解《わげ》』やフランスの『家庭百科事典』のオランダ語訳本の日本語訳書の『厚生新編』の編纂にも参加した蘭学者だった。

榕菴はおそらく数ある蘭学者の中で最も早く化学に興味を抱いた一人である。彼は『植学啓原』を刊行してから三年後の一八三七年に大著『舎密開宗《せいみかいそう》』（内篇一八巻、外篇三巻 図13）の著述を始め、四九歳で亡くなるまで一〇年もの歳月をかけて刊行を続けた。日本初の体系的な化学書である。

『舎密開宗』はヘンリーの法則で知られるイギリスの化学者ウィリアム・ヘンリー（William Henry 一七七五〜一八三六）が一七九九年に著した化学入門教科書『*An Epitome of Chemistry*』（一七九九年。二版から *Elements of Experimental Chemistry* と改題）を底本としている。榕菴が翻訳に使った底本はこのドイツ語訳をさらにオランダ語に翻訳したもので、これに加えて数多くの化学書を参考にして、みずから行った実験や考察を加えた。初篇から六篇までの内篇一八巻、および外篇三巻までが刊行されたが、一八四六年に榕菴が亡くなって中断した。

『舎密開宗』の著述に当たって、榕菴は多数の化学用語（たとえば、元素、水素、炭素、酸素、窒素、酸、アルカリ、中和、物質、燃焼、酸化、還元、温度、飽和《ほうわ》、分析、気化、塩、酸化物など）を創案した。どの単語も見ただけでその意味が分かるような漢字を組み合わせるなど工夫されており、今日でも違和感がなくその語の意味を理解できる訳になっているのは驚くばかりである。

たとえば、オランダ語の元素名 waterstof は、water（水）と stof（物質）が組み合わさった語だ

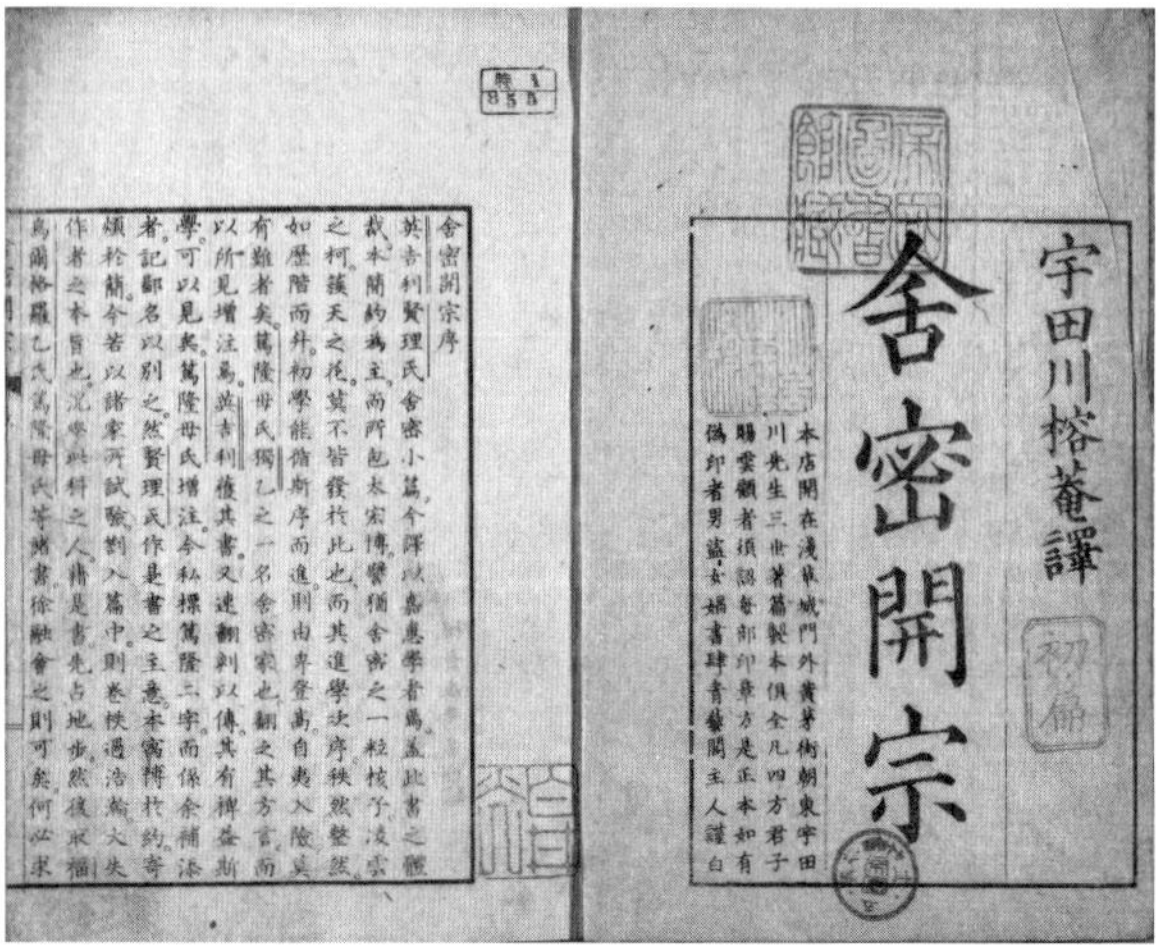

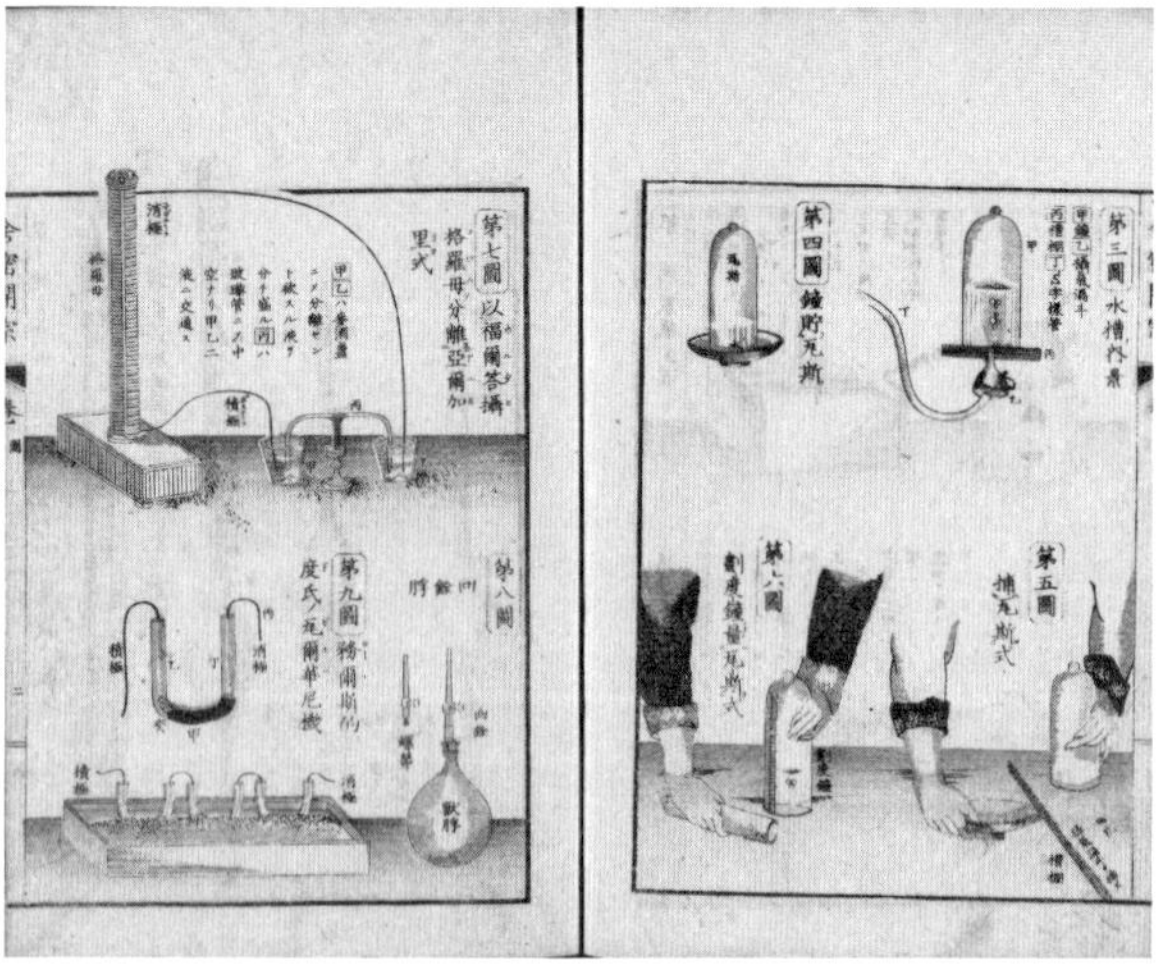

図13 『舎密開宗』(天保8～弘化4年〈1837～47〉刊)
上：扉と序の前半　下：実験図など

が、榕庵はstofを「物質」と訳さず、最も基本的なものであることを強調して「素」とし、この語を「水素」と訳すことにより元素名を単純明快に表す工夫をしたといえる。同様にstikstofを「窒素」、zuurstofを「酸素」と訳した。一八三四年に榕庵が中心となって『遠西医方名物考』の補巻を刊行したが、この書の巻七〜九の「元素篇」には元素のことが書かれており、窒素や酸素が紹介されていることはすでに述べた。

舎密から化学へ

宇田川榕庵は化学を意味するオランダ語chemieの発音を漢字二字で「舎密《せいみ》」と表記した。その後、舎密という言葉は明治時代の初期まで使われていた。たとえば、日本で最初に化学を学べる場所として一八六九年に大阪に開設された官営施設の名前は、舎密の名前をつけた「舎密局」だった。その翌年には東京遷都《せんと》により地盤沈下した京都の産業を振興するために理化学を研究する施設として「(京都)舎密局」が京都府によって設立された。

一八四六年に亡くなった榕庵の後を嗣いで、西洋自然科学の分野で活躍した蘭学者に川本幸民《かわもとこうみん》(一八一〇〜七一 図14)がいる。とりわけ化学は蘭学を志した若いころから一貫して関心を抱

図14　川本幸民

いた分野であった。榕庵同様に幸民も語学に優れ、数々の科学書の翻訳を行った。

川本幸民は摂津国三田《せっつのくにさんだ》で代々三田藩医を勤めていた川本家に生まれ、幼いときから好奇心が旺盛で頭がよく、九歳で三田藩校造士館《ぞうしかん》で漢学を学んだ。三田藩始まって以来の秀才との評判が高かった。この評判が藩主九鬼隆国《くきたかくに》（一七八一～一八五二）の耳に入り、隆国は西洋医学を学ばせるために学資を与えて江戸留学を命じた。幸民は江戸で高名な蘭医足立長雋《あだちちょうしゅん》（一七七六～一八三七）、坪井信道《つぼいしんどう》（一七九五～一八四八）に師事した。また西洋医学を学ぶかたわら、青地林宗が著した日本最初の物理学書といわれる『気海観瀾《きかいかんらん》』の増補改訂作業を引き受け、『気海観瀾広義《こうぎ》』を著した。この作業を通して幸民は西洋科学としての物理学や化学の大切さを理解し、医学とともに研究を進めることに決めた。

『気海観瀾』はオランダの科学者ヨハネス・ボイス（Johannes Buys 一七六四～一八三八）の著書『*Natuurkundig Schoolboek*』（一七九八年）の中から「気象」の部分を抄出翻訳した薄い一冊本だっ

たが、幸民は大幅に増補して一五巻五冊とした。内容は量的には原書の七倍もあり、理解しやすいように行き届いた記述となっているため、物理学の教科書としても広く使われて、近代科学を世に広める役割を果たした。

その後、幸民は化学の分野で翻訳を続けた。一八五六年、プロイセン王国の軍人モリッツ・マイヤーが著した『軍事化学の基礎』を翻訳して『兵家須読舎密真源《へいかすどくせいみしんげん》』と名付けた。この書名から分かるように、この時点では幸民は「舎密」の言葉を使っている。その後、ザクセン王国の化学者であり教育者だったシュテックハルト（Julius Adolph Stöckhardt 一八〇九〜八六）が著した化学の教科書『*Die Schule der Chemie*』のオランダ語版を翻訳して、『化学新書』（図15）と名付けた。この書は榕庵の『舎密開宗』と並んで江戸時代末期の代表的な化学書であるが、『兵家須読舎密真源』とともにいずれも出版の機会がなく、残された幸民手書きの草稿が筆写されて、幕府の蕃書調書《ばんしょしらべしょ》（洋学調所、開成所）で教科書として使われた。

この書で幸民は「舎密」ではなく「化学」を初めて使った。「化学」という言葉は一八五〇年代に中国で使われており、これが日本に伝わって幸民が初めて使ったとされている。「舎密」と「化学」の両語は明治の初めころまで併用されていたが、その後、「化学」が定着し、今日に私たちが当たり前のように使う言葉となっている。

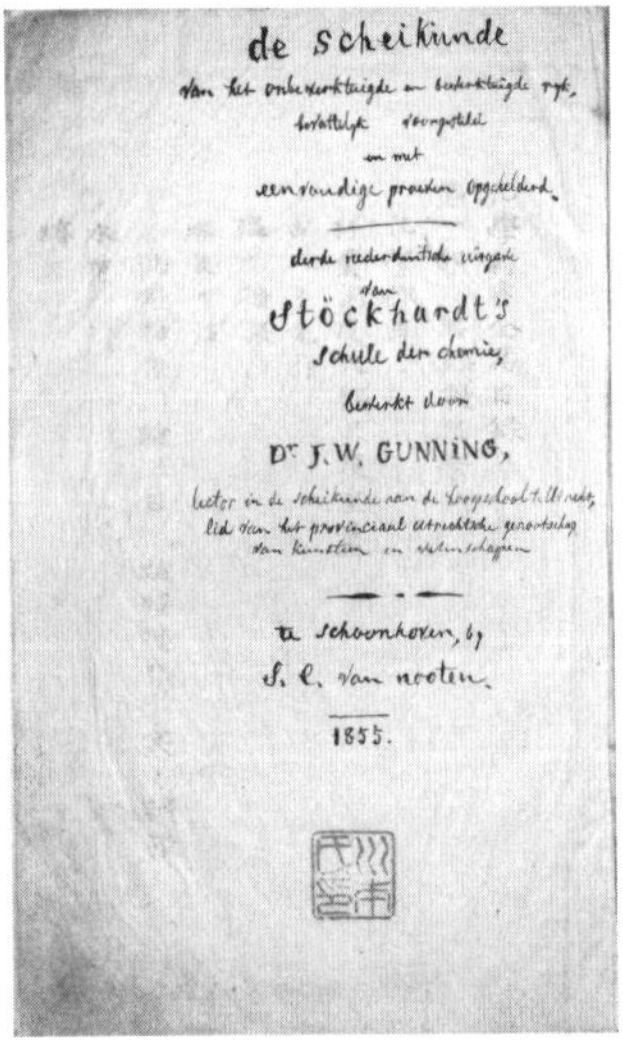

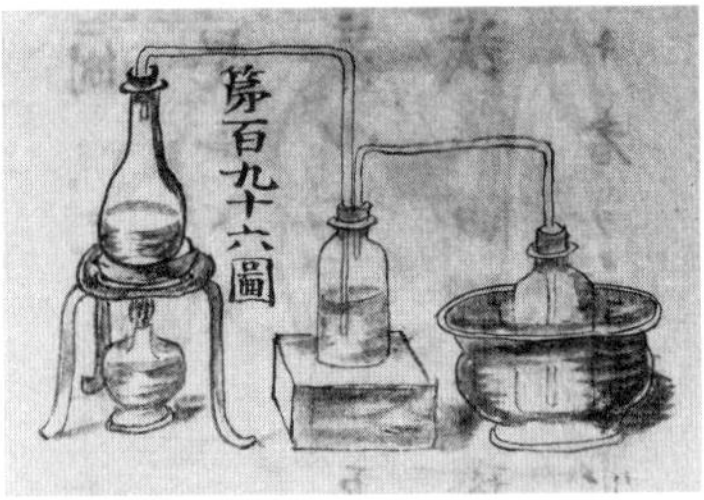

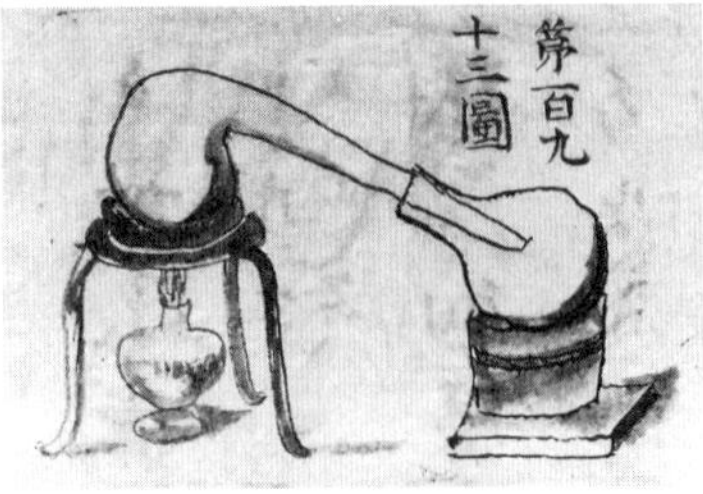

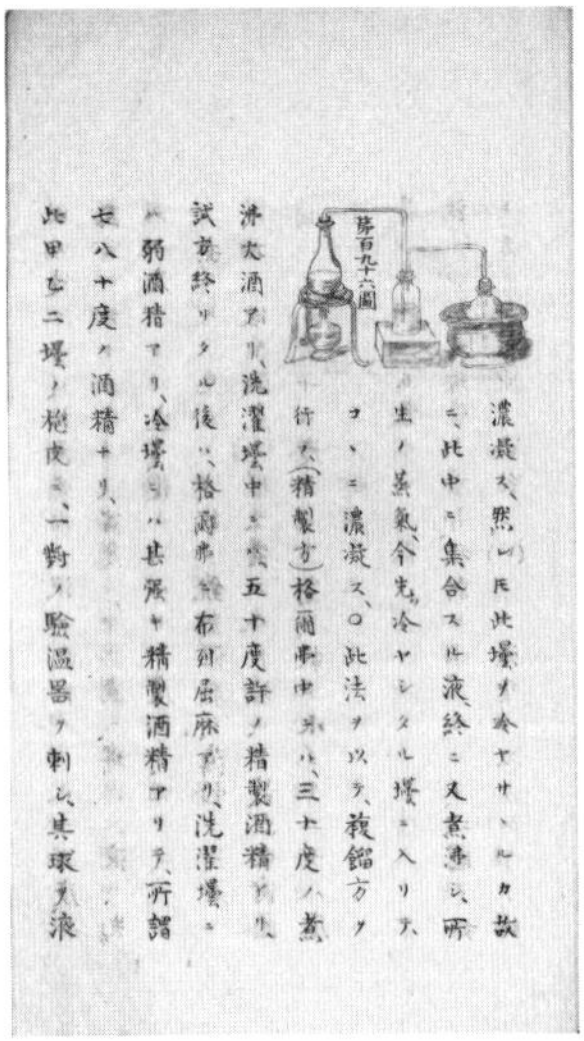

図15　川本幸民手稿の『化学新書』

幸民が「舎密」を使わず、「化学」に換えた理由は諸説あるが、表現としての分かりやすさによるであろう。「舎密」がオランダ語の chemie の発音「セイミ」を漢字で表現しただけで、舎密からはこの語の意味することを汲《く》みとることはできない。英語の radio をラジオ、television をテレビというように英語の発音をそのまま表現するのと同じである。一方、化学の「化」の字は、文字通り化ける、すなわち化学の反応の本質、ある物質からまったく別の物質への変換を意味することを直感的に理解できる。

これまで日本では知られていなかったものの名前や事柄を日本語に翻訳するに当たって、蘭学者たちは使うべき漢字の語感やその事柄の背景までをも考慮したことにあらためて驚きの念を抱かざるを得ない。今日、私たちが自然科学を学ぶ際に、ヨーロッパ諸国の言語で書かれた原書を使わずに日本語で書かれたもの、あるいは日本語に翻訳された教科書で西洋科学を学べるのは、こうした江戸時代の蘭学者たちの多大な努力のおかげなのである。

江戸時代の教育――藩校と寺子屋――

江戸時代に政治的支配者の地位にあった武士層は、為政者に必須とされる学識を養《やしな》うため、武道と並んで儒学などを学んだ。このために設立された教育機関が武士の子弟を対象にした藩校だった。藩校は江戸初期には一部の藩に限られていたが、中期以降から普及し始め一九世紀にはほとんどすべての藩に一校が設立されるようになり、全国で二百数十校に達したといわれている。藩校では主として儒学が教えられ、教科書としては四書《ししょ》（大学《だいがく》・中庸《ちゅうよう》・論語《ろんご》・孟子《もうし》）や五経《ごきょう》（易経《えききょう》・書経《しょきょう》・詩経《しきょう》・礼記《らいき》・春秋《しゅんじゅう》）などが用いられ、幕末になると窮理《きゅうり》学（物理学）や化学などの洋学、西洋医学の知識を教えるところも出てきた。

一方、町民や農民などのいわゆる庶民の教育機関としては私設の寺子屋《てらこや》があり、江戸末期にかけて広く設けられた。江戸中期以降、商業の目覚ましい発展に伴う町人階級の社会進出、農村における農産品の商業化に伴う諸々《もろもろ》のやりとりに、文字の読み書きや簡単な算術が必要不可欠となったことが寺子屋の普及を促した要因として挙げられる。寺がその機能を果たす場合が多かったが、神職や修行僧、武士らが生計を助けるために営《いとな》まれた場合もあった。しかし、最も多かったのは庶民によって開設された寺子屋《てらこや》であった。庶民の子どもたちは読み・書き・そろばんなどをこうした私設の教育機関で学習した。享保期（一七一六〜三六）から普及し始めて明和・安永（一七七二〜八一）から幕末期にかけて急増した。

明治二三〜二五年（一八九〇〜九二）に編纂された文部省編『日本教育史資料』によると、寺子屋の年間の開設数は享保期では一施設に満たなかったが、幕末の安政〜慶応（一八五四〜六七）にかけて、年間三〇〇を超す寺子屋が全国津々浦々に設けられたという。明治維新後、明治五年（一八七二）に学制を実施するに当たって、短期間に全国的に小学校を開設できたのは、江戸末期における寺子屋の普及によるところが極めて大きかった。

明治維新後に進展した教育機関の近代化は、文部省の学制制定に負うところが大きいが、学制が制定された一八七二年をさかのぼること五〇年以上前の寺子屋が急増し始めた一八二〇年代をその一つの起点と捉えることができる。同じように学術の面でも近代化の礎は、明治維新をさかのぼること五〇年、蘭学の隆盛と蘭書の翻訳に伴《ともな》う西洋の自然科学の理解に近代化の兆《きざ》しを見ることができるであろう。

お雇い外国人

西洋の知識の吸収・翻訳に努める姿勢は明治時代になっても引き継がれた。欧米の先進技術や学問、制度を移入し教授するために雇用された外国人、いわゆるお雇《やと》い外国人を教師とし、学術・教育、芸術・美術、医学、土木・建築・交通などの多くの分野の知識を吸収した。これらのお雇い外国人による教育・指導により西洋の最先端の知識や技術、制度などが明治時代の初めから短期間のうちにわが国に流入した。江戸時代において西洋の科学・技術や制度などは、長崎の出島に滞在していた極めてわずかな西洋人と面と向かって習うか、蘭書を読んで、みずから学ぶしかなかったのと較べると、量・質ともに格段の違いがあり、わが国の近代化に大きく貢献した。

国立国会図書館デジタルコレクション「御雇外国人一覧　全」（中外堂出版、明治五年〈一八七二〉三月）という資料には、イギリス＝一一九人、フランス＝五〇人、アメリカ＝一六人、プロイセン＝八人、オランダ＝二人、イタリア＝一人、ポルトガル＝一人、ベルギー＝一人、マニラ＝四人、中国＝九人、インド＝二人、デンマーク＝一人の総数二一四人の姓名、給料、期限、職務が三六頁にわたって採録されている。

この資料によると、これらのお雇い外国人に支払われた給料は金額不詳の七人を除くと平均一人当たりの月給は二一五元一七セントである。何故金額が元で表示されているのか分からないが、円とすれば二一五円一七銭で、この値を明治二八年（一八九五）の巡査や小学校教員の初任給（月給）の八円、東京の大工の日当の五四銭（毎日休まずに働いたとして月給換算一六円強）と較べると、お雇い外国人の給料がいかに高かったかが分かるちなみに明治四年から一六年に右大臣岩倉具視《いわくらともみ》が受けた月俸は六〇〇円、明治四年から八年にかけて参議を勤めた板垣退助《いたがきたいすけ》が受けた月俸は五〇〇円だった。お雇い外国人の中にはこれら閣僚や元勲《げんくん》に匹敵するかそれ以上の給料を受けた人が多くいた。明治維新後、一刻も早くすべての分野で欧米諸国の水準に追いつくためには、高給を支払って外国人学者や専門家を雇う必要があったのであろう。

グローバル化の狭間で

「ノーベル賞自然科学三賞の受賞者数をアジア諸国に限ると日本人受賞者が際立って多いのは何故か」という外国人特派員の問いを考えるなかで、丸谷才一《まるやさいいち》氏が書いた「考えるための道具としての日本語」と題する文化コラムに触発《しょくはつ》され、現在、日本語を母語とする日本人が日本語で自然科学を学ぶことができる背景を考えた。

今日、私たちは理科や自然科学を何の違和感もなく、当たり前のように日本語で書かれた教科書で学んでいる。しかし、これらの教科書の源をさかのぼると、欧米の言語で書かれた教科書や学術書に行き着く。これらの教科書や学術書を日本語に翻訳するための基礎を整備したのは、江戸中期から幕末にかけて活躍した吉雄耕牛《よしおこうぎゅう》、本木良永《もときりょうえい》、馬場佐十郎《ばばさじゅうろう》らオランダ通詞《つうじ》、前野良沢《まえのりょうたく》、杉田玄白《すぎたげんぱく》、中川淳庵《なかがわじゅんあん》、大槻玄沢《おおつきげんたく》、宇田川玄随《うだがわげんずい》、玄真《げんしん》、榕庵《ようあん》ら蘭学医《らんがくい》、さらには箕《み》作阮甫《つくりげんぽ》、志筑忠雄《しづきただお》、川本幸民《かわもとこうみん》ら蘭学者《らんがくしゃ》たちであったことを紹介してきた。

自然を人間と対峙《たいじ》させて客観的に捉えようとする西洋に対し、東アジア諸国では人間は自然の一部であり、自然に包まれている存在であると考えてきた。中国からもたらされた儒学を基盤として教育を受けた多くの学者の中で、いち早く西洋の植物学の価値を理解した宇田川榕庵が、日本で初めて体系的に植物学について著した書『植学啓原《しょくがくけいげん》』のことはすでに述べたが、その序文を書いた箕作阮甫は、中国から伝えられた本草学は、「気味能毒を詳らかにするに過ぎず。猶《な》お角ある者は牛、鬣《たてがみ》ある者は馬なるを知るが如《ごと》し」と述べて従来の本草学を批判し、近代植物学の濫觴《らんしょう》は宇田川榕庵先生その人であると讃《たた》えた。また物理学や天文学の分野では志筑忠雄、化学や植物学の分野では宇田川榕庵、川本幸民が活躍した。長崎でオランダ語を学んだ前野良沢が加わっていたとはいえ、本格的な辞書もなく、良沢が長崎から持ち帰った簡単な一冊子を頼りに翻訳した『解体新書』では、「一句」を訳すのに「長い春の一日ではできず……」という嘆《なげ》かわしい状況であった。『解体新書』の翻訳を起点とすれば、明治維新までわずか一世紀ほどの出来事であった。

これらの先達は江戸時代から明治維新にかけて、あらゆる学問分野で、主としてオランダ語、幕末にかけてはドイツ語、フランス語、英語などの学術書や文献の解読や翻訳に挑戦し、漢字のもつ意味やその語が意味する背景にまで思い巡らせて的確な日本語を創造し翻訳してきた。私たちが日常生活に用いるのと変わらない日本語で科学を深く学ぶことができるのは、こうした先達の積み重ねてきた努力のたまものであることを忘れてはならない。

一方で、科学を日本語で学んでいる日本人が世界的に評価されるようになったのは、学術の分野に限らず、あらゆる分野で英語が標準の言語となったことを背景に、英語で学術論文を書き、国際会議では英語で研究成果を発表するのが当たり前になったからである。英語を伝達の道具とすることで世界から認められるようになったのである。

近年、学術の世界に限らず、さまざまな分野でグローバル化してきたことを背景に、政府は英語教育の早期化を進めている。二〇〇三年、文部科学省は「「英語が使える日本人」の育成のための行動計画」で、「国際社会を生きるという広い視野とともに、国際的な理解と協調が不可欠である」と指摘し、『小学校学習指導要領（平成二九年告示）』に基づいて二〇二〇年から「小学三年からの必修化」や、「小学五年からの教科化」を実施する方針である。指導要領では、外国語を学ぶ目標として、「外国語によるコミュニケーションにおける見方・考え方を働かせ、外国語による聞くこと、読むこと、話すこと、書くことの言語活動を通して、コミュニケーションを図る基礎となる資質・能力を次のとおり育成することを目指す」としている。

グローバル化はますます深化しており、世界共通語である英語をコミュニケーションの道具として学ぶのは当然のことだと思う。しかし、この目標を実現させるためには、性急な英語教育より、思考の道具としての母語である日本語をしっかり身に付けることが必要であるし、そのほうが英語教育もより効果的になるであろう。まずは日本語でしっかり考え、理解し、それを的確に伝達できるようにする力を育む教育が求められるのではないだろうか。日本語で論理的に説明できない人が英語で論理的に説明できるはずはないのだから。

英語を学ばなくてよいということでは決してない。深まるグローバル化のなかで一層の重要さを増していくことは明らかである。しかし、グローバル化のなかでさらに重要になるのは、ものごとの核心に迫る理解力と、自由な発想に基づく創造力であり、そうした力がノーベル賞受賞にみる日本の科学・技術を支えてきたことは言うまでもない。そして、その力を育んだものこそ、先人が創造し、今の時代に受け継いできた日本語だと考えることはできないだろうか。私たちは先人がなし遂げた蘭書や洋書の翻訳、直感的に理解ができる科学用語の創出という努力の成果に大きな恩恵を受けていることを忘れてはならない。

〈参考文献〉

新井白石著、大岡勝義・飯盛宏訳『西洋紀聞　原本現代訳』（教育社、一九八〇年）
新井白石著、村岡典嗣校訂『西洋紀聞』（岩波文庫、一九三六年）
有田正規「日本語のオープンサイエンスを！」（『化学』七一巻九号、化学同人、二〇一六年）
井崎正敏『考えるための日本語入門―文法と思考の海へ―』（三省堂、二〇一八年）
小田襄『国史教科書中の主要人物伝』（イリカワ本店、一九二五年）※国立国会図書館デジタルコレクション
大野晋・丸谷才一対談『日本語で一番大事なもの』（中央公論社、一九八七年）
加藤周一「言葉とは何か」（『伝え合う言葉　中学国語1』教育出版。鷲巣力編『加藤周一自選集』10、岩波書店、二〇〇六年）
加藤周一「言葉の楽しみ」（『伝え合う言葉　中学国語2』教育出版。鷲巣力編『加藤周一自選集』10、岩波書店、二〇〇六年）
加藤周一「日本語の特徴」（『伝え合う言葉　中学国語3』教育出版。鷲巣力編『加藤周一自選集』10、岩波書店、二〇〇六年）
川崎謙『神と自然の科学史』（講談社選書メチエ、二〇〇五年）
志筑忠雄没後二〇〇年記念国際シンポジウム実行委員会ほか編『蘭学のフロンティア―志筑忠雄の世界―』（長崎文献社、二〇〇七年）
篠田謙一『江戸の骨は語る―甦った宣教師シドッチのＤＮＡ―』（岩波書店、二〇一八年）
芝哲夫「日本の化学のはじまり―人と風土―」（『サイエンスネット』二九号、数研出版、二〇〇七年）

新戸雅章『江戸の科学者―西洋に挑んだ異才列伝―』(平凡社新書、二〇一八年)
菅野礼司『近代科学はなぜ東洋ではなく西欧で誕生したか―近代科学から現代科学への転換とその意義―』(吉岡書店、二〇一九年)
杉田玄白著、緒方富雄校註『蘭学事始』(改版、岩波文庫、一九八二年)
杉田玄白著、片桐一男全訳注『蘭学事始』(講談社学術文庫、二〇〇〇年)
杉田玄白ほか訳著、酒井シヅ現代語訳『解体新書　全現代語訳』(講談社学術文庫、一九九八年)
杉本つとむ『長崎通詞ものがたり―ことばと文化の翻訳者―』(創拓社、一九九〇年)
杉本つとむ『江戸の翻訳家たち』(早稲田大学出版部、一九九五年)
杉本つとむ『江戸時代翻訳語の世界―近代化を推進した訳語を検証する―』(八坂書房、二〇一五年)
鈴木孝夫『日本語と外国語』(岩波新書、一九九〇年)
クロドヴェオ・タシナリ『殉教者シドッティ―新井白石と江戸キリシタン屋敷―』(ドン・ボスコ社、二〇一二年)
徳永直『光をかかぐる人々』(河出書房、一九四三年)※青空文庫
長浜市立長浜城歴史博物館編『江戸時代の科学技術―国友一貫斎から広がる世界―』(サンライズ出版、二〇〇三年)
リチャード・E・ニスベット著、村本由紀子訳『木を見る西洋人　森を見る東洋人―思考の違いはいかにして生まれるか―』(ダイヤモンド社、二〇〇四年)
松尾義之『日本語の科学が世界を変える』(筑摩選書、二〇一五年)
松尾龍之介『長崎蘭学の巨人―志筑忠雄とその時代―』(弦書房、二〇〇七年)
水村美苗『日本語が亡びるとき―英語の世紀の中で―』(筑摩書房、二〇〇八年)

本木良永『太陽窮理了解説』（国立天文台貴重資料展示室収蔵）
吉野政治『蘭語訳述語攷叢』（和泉書院、二〇一五年）
上原貞治「江戸時代の日本における基礎科学研究の成果についての概観」（http://seiten.mond.jp/others/edokagaku.htm）
国立国会図書館「江戸時代の日蘭交流」（https://www.ndl.go.jp/nichiran/index.html）
静岡県立中央図書館「Digital 葵文庫」（江戸幕府旧蔵書）（https://www.tosyokan.pref.shizuoka.jp/aoi/）
津山洋学資料館（http://www.tsuyama-yougaku.jp/）
文部科学省「学制百年史」「一　幕末期の教育」（http://www.mext.go.jp/b_menu/hakusho/html/others/detail/1317577.htm）

〈図版一覧〉

図10　宇田川榕庵　同右
図11　『菩多尼訶経』　国立国会図書館蔵
図12　『植学啓原』　同右
図13　『舎密開宗』　同右
図14　川本幸民　日本学士院蔵
図15　『化学新書』手稿　日本学士院蔵

3

高分子合成を志して

ご紹介いただきました白川です。このたびは福井謙一先生の生誕一〇〇年という節目に開催された記念シンポジウムに招待講演をする機会をいただきまして、まことにありがとうございました。このシンポジウムを企画された京都大学福井謙一記念研究センター長の田中勝久教授および関係者の皆様に篤く御礼を申し上げます。また、遠くから来日されたロアルド・ホフマン（Roald Hoffmann）先生のご講演を拝聴できたのは幸いでした。参加者の一人として感謝申し上げます。

子どものころ、好きだったこと

確たる理由は思い出せませんが、子どものころから自然が好きで、小学校では理科ならば何でも好きでした。特別に勉強をした覚えはないのに理科だけは成績がよかったことを覚えています。また、ジャンルを問わず本を読むのも好きでしたので、ファーブルの『昆虫記』を読んで昆虫採集に、牧野富太郎《まきのとみたろう》（一八六二～一九五七。植物学者）の伝記を読んで植物採集に夢中になりました。小学校の高学年から中学生にかけて、学校から帰ると宿題もそっちのけで野山を駆け巡るのが習慣でした。これらの趣味に加えて高校生になるとラジオ作りに夢中になりました。

テレビがない時代でしたので、家の中ではラジオを聞くのが楽しみでした。民間放送はまだない時代で、受信できた放送はＮＨＫの第一と第二放送だけでしたが、ダイヤルを回すとこれらの放送に混《ま》じって外国から発信されている放送が受信できるのに気づきました。外国の放送局による日本語番組であったり、聞いたこともない言葉の放送であったりして、その放送がどこの国から発信されているのか、どんな番組であるのかなどに興味を抱きました。そのような放送局の電波は波長の短い短波《たんぱ》を使っていることを知り、短波ラジオを手に入れたかったのですが、当時のお小遣《こづか》いでは買えるようなものではなかったので、自分で作るより方法はありませんでした。鉱石ラジオ作りから始めて、お小遣いで買える最低限必要な部品、たとえば、真空《しんくう》管《かん》、バリアブルコンデンサー、抵抗、コンデンサーなどを買い集めて短波ラジオを作りました。手作りなので整流回路、同調回路、検波回路、増幅回路など、それぞれの部品や回路の役割も自然に理解できました。

化学への興味

化学に興味を抱いたのは中学生のころでした。母のお手伝いとしてご飯炊《た》きと風呂を沸《わ》かすことを任《まか》されたのがきっかけでした。当時は薪《まき》が燃料でしたので、どうしたらうまく薪に火をつければよいか、どのように火力を保てばよいかなどを毎日繰り返すうちに、火の調節の仕方を自然と会得《えとく》することができました。ご飯炊きは短時間に火力を強めたり、弱めたりしなくてはならず忙しかったのですが、風呂焚《た》きは時間がかかりましたので、この間にいろいろないたずらができました。たとえば、塩水が染みこんだ新聞紙を燃やすと炎が黄色く色づいて、学校で習った炎色反応《えんしょくはんのう》を自ら試すことができましたし、アンプルの中に木の葉や枝を詰め込んで炎の中に入れて乾留《かんりゅう》の過程をじっくり観察することもできました。これらのいたずらは私にとってファラデーの『ロウソクの科学』のロウソクに代わる実験でした。化学への関心はさらに深まり、ある出来事をきっかけに新しいプラスチックを合成してみたいという希望につながりました。

中学校のころはまだ給食がなくて昼食の弁当を持参しました。毎朝、母は炊きたての熱いご飯をアルミの弁当箱に入れ、そのころ出回り始めたポリ塩化ビニールのシートを木綿《もめん》の風呂敷代わりに包んでくれました。母はこれまで使ってきた木綿の風呂敷を使うとおかずの汁が浸《し》み出して、かばんの中のノートや教科書が汚れるので、そうならないように気遣《きづか》ってくれたのでした。

ポリ塩化ビニールの風呂敷はとても便利で使い勝手がよい反面、熱いと伸びてしまい冷えても元に戻らないという欠点がありました。この欠点がよほど気になったのか、中学三年生の卒業間近に書いた卒業記念文集に、「プラスチックはとても便利なものだが欠点も多い」と綴《つづ》ったことは覚えているのですが、たび重なる引っ越しで記念文集は手元になくなり、書いたこともすっかり忘れていました。

ポリアセチレンの研究

大学では多くの先生方に恵まれて有機《ゆうき》化学や高分子合成、高分子科学を勉強することができました。勉学と並行して山岳部に入り山登りに熱中しました。ゴールデンウィークの新人歓迎登山に始まり、夏山、秋山、冬山、そして三月の学期休みには春山登山と、年中行事のように北アルプスや南アルプス、富士山などへ山登りに出かけました。大学院に進学してからも折に触れて現役の山行に参加することもありました。登山では体力や持久力を養うことができましたが、同時に勉学や研究中には思いつかなかった新たな発想ができるという意外な効用があり、体力がいる山登りでも気分転換ができたのです。

図1　大学時代は山岳部に所属。剱岳山頂にて

学部を卒業してからは大学院に進学することになり、念願の高分子合成に関する研究を行うことができました。大学院を終えてから助手として大学に残ることになり、高分子に関する研究を続けることになりました。一九六〇年代後半のことです。チーグラー・ナッタ触媒《しょくばい》を使ったアセチレンの重合反応《じゅうごうはんのう》によるポリアセチレンの合成について研究を始めました。研究目的は重合過程の反応機構を解明することにあり、導電性高分子を合成しようという意図はまったくありませんでした。

そもそも、導電性があるかもしれないと思われていたポリアセチレンの合成に初めて成功したのは、イタリアの高分子化学者ジュリオ・ナッタ（Giulio Natta 一九〇三〜七九）と彼のグループでした。ナッタらはチーグラー・ナッタ触媒を見いだしてエチレンやプロピレンの立体規則性重合に成功しましたが、これらの研究が一段落をしてから、アセチレンの重合を試みてポリアセチレンの合成に初めて成功しました（図2）。ナッタらの合成に刺激されて世界中の多くの研究

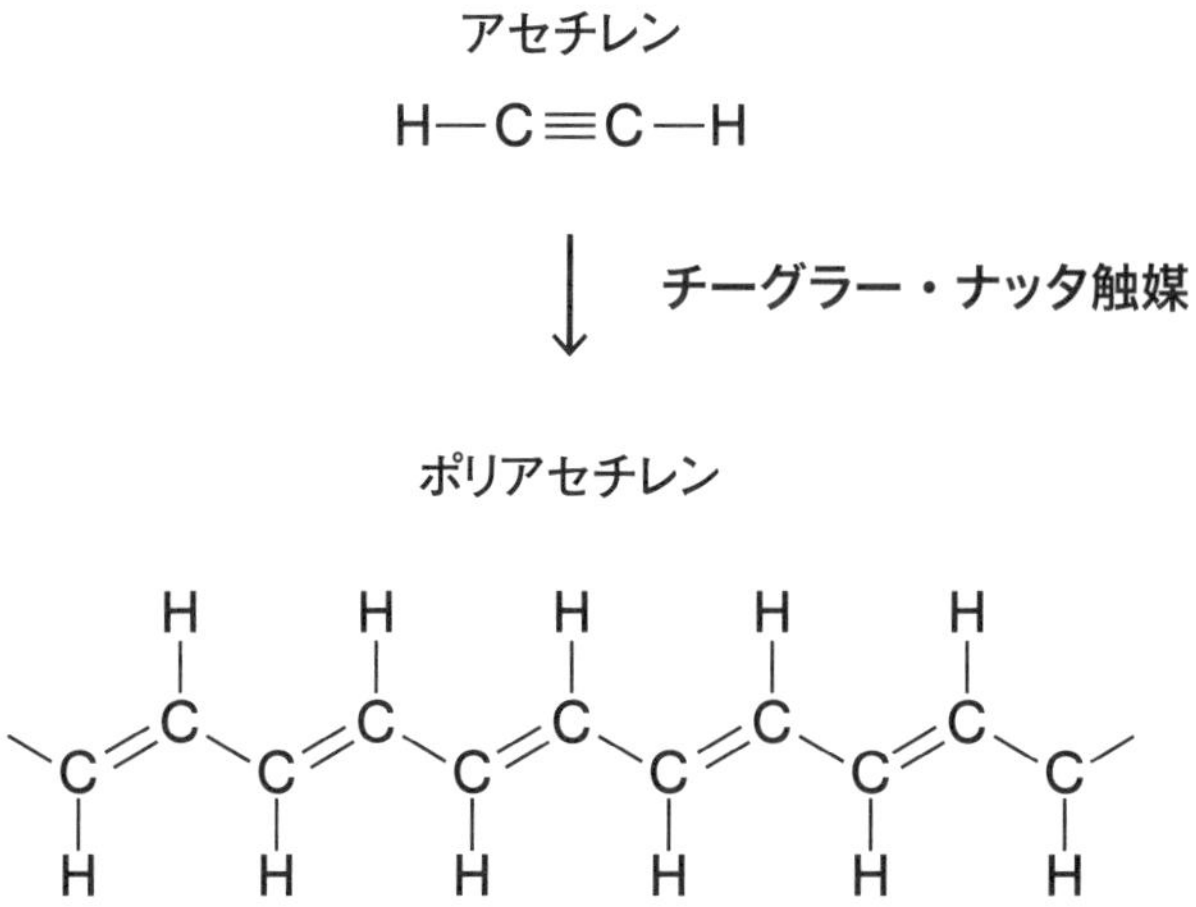

図2　アセチレンのチーグラー・ナッタ触媒によるポリアセチレンの合成

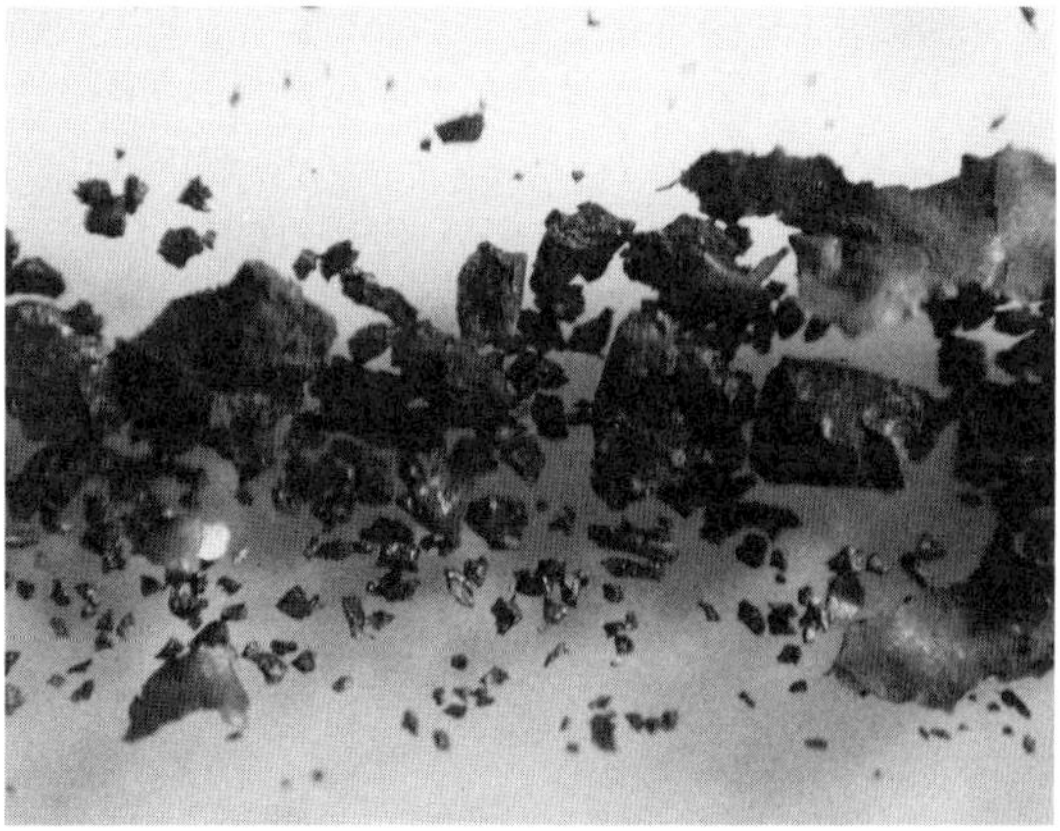

図3　粉末状ポリアセチレン

者がこの研究に取り組みましたが、彼らが合成したポリアセチレンは炭の粉のような粉末状で、他の合成高分子とは著《いちじる》しく異なり、いかなる溶媒にも不溶で、熱を加えても溶けも軟化もしないために、成形する手段がなく研究材料としては取り扱いにくい物質でした（図3）。このためにナッタらを始めほとんどの研究者らはポリアセチレンの研究を止めてしまいました。ちなみに、ナッタはカール・ツィーグラー（Karl Ziegler 一八九八〜一九七三）とともに、チーグラー・ナッタ触媒を使った高分子合成の発見で一九六三年のノーベル化学賞を受賞しています。

偶然の失敗

このような背景があったにもかかわらず、アセチレンの重合という難しいテーマに取り組んだのには理由がありました。私たちが目的とした研究は、ポリアセチレンの物性ではなく、どのようにしてアセチレンが触媒と反応してポリアセチレンができるかの化学反応、つまり重合反応のメカニズム解明だったのです。初めから困難を承知の上での研究でしたが、研究を始めて間もなく、私たちの研究目的にとって都合のよい形態である薄膜《はくまく》状のポリアセチレンが半ば「偶然」に合成できたのです。きっかけは、指導教官のもとで短期間の研究をしていた訪問研究

図4　実験室での実験風景

者が、アセチレンの重合反応を体験したいと言い出したことでした。そこで私は触媒の調製や実験方法などをその訪問研究者に伝えて実験をしてもらったところ、しばらくしてその研究者は実験が失敗したと言ってきたのです。

取り扱いが難しい触媒を使うとはいえ、それほど複雑な実験ではなく、化学者ならば誰がやっても失敗することのない簡単な実験でしたので、そんなはずはないと訝《いぶか》しく思いながら反応装置の様子を確認しました。そして、発見したものは、触媒溶液の表面に張った黒い膜状の物質でした。

反応容器の表面にできていた物質は

明らかに粉末とは異なり、ぼろ雑巾のようなかたまりでした。当初の目的からすればこの実験は「失敗」以外のなにものでもありませんでした。そこでなぜ失敗したかを解明するとともに、条件を変えれば反応機構解明のための研究試料として好都合な薄膜状に合成できるかもしれないと考え、さまざまな重合条件のもとで実験を行うことにより、極めて濃い触媒溶液を用いると薄膜ができることを見いだしたのです。

図5　薄膜状ポリアセチレン(撮影:後藤博正)

触媒を調製する段階で通常より一〇〇〇倍も濃い触媒を使ったのが失敗の原因だと分かり、実験を繰り返すうちにアルミ箔のような金属光沢をもつポリアセチレン薄膜《はくまく》を合成できるようになったのです(図5)。この失敗がきっかけで困難だと思われた所期の研究も、この薄膜を分析することにより二、三年で達成できました。合成できたポリアセチレン薄膜はアルミ箔のような金属光沢をしているので、もしかしたら導電性があるかも知れないと思って、電気工学の先生と共同で電気伝導度を測定しましたが、残念なことに導電性はないことが分かりました。

ペンシルベニア大学での共同研究

薄膜状ポリアセチレンの合成に成功してから八年ほど後の一九七五年のことです。サバティカルリーブで京都大学の熊田《くまだ》 誠《まこと》先生（一九二〇〜二〇〇七）の研究室に滞在されていたペンシルベニア大学化学科教授のアラン・マクダイアミッド先生（Alan MacDiarmid 一九二七〜二〇〇七）が東京でセミナーをされ、お目にかかることができました。彼にこの銀色の金属光沢をもつポリアセチレン薄膜をお見せしたら大変興味を抱かれ、一九七六年九月からペンシルベニア大学で共同研究を行うことになりました。

ペンシルベニア大学ではマクダイアミッド先生の共同研究者だった固体物理学者のアラン・ヒーガー先生（Alan Heeger 一九三六〜）とともに行ったドーピング実験が導電性高分子の発見につながりました。一九七六年一一月二三日のことでした。微量の臭素《しゅうそ》を加えるとポリアセチレン薄膜の電気伝導度は一〇〇〇万倍近くに増加をしたのです（図6）。導電性高分子誕生の瞬間でした。

翌年六月にニューヨークで開催された国際学会でこの成果を発表することになりました。研

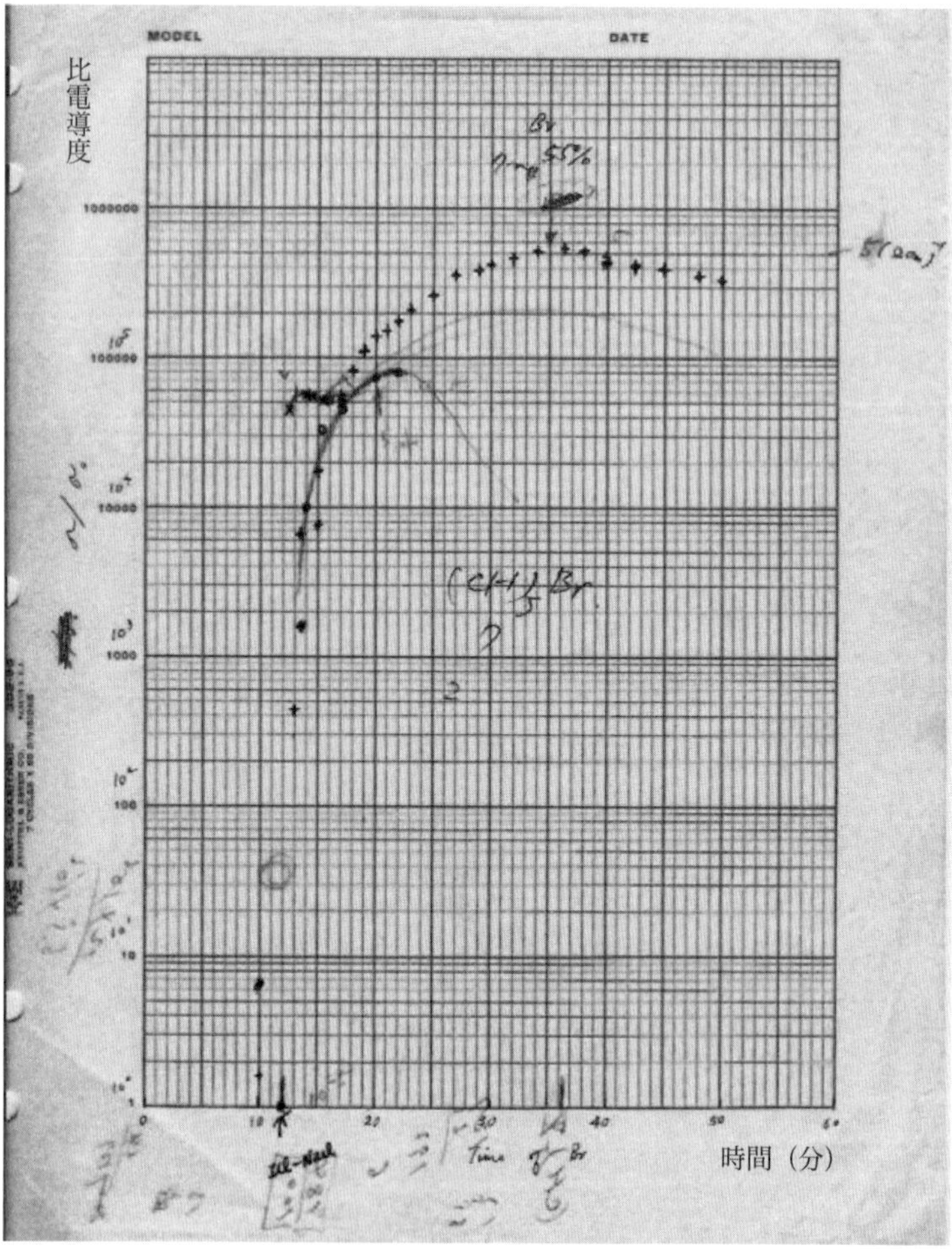

図6　ペンシルベニア大学で臭素を使った最初のドーピング実験結果（1976年11月23日）

究成果の発表に続いてドーピングの演示実験を行うことをマクダイアミッド先生が研究室会議で提案したのです。私は正式の国際会議の壇上で、子供だましのような実験のまねごとはやりたくないと強く反対をしたのですが、マクダイアミッド先生に押し切られてしまいました。そこで、やむなく電極を付けたポリアセチレンフィルムをガラス容器に封入して真空に保った状態の二組の演示実験装置を組み立てて、フィラデルフィアからニューヨークに慎重に運びました。国際会議の壇上でドーパントの臭素をゆっくり導入すると、ドーピングが始まりポリアセチレンの電気抵抗が下がって豆電球が点灯するという仕組みでした。持ち運ぶ途中で容器の空気漏れが心配でしたが、無事に豆電球を点灯させることに成功し、参加者から拍手喝采《かっさい》を浴びたことは私には大きな驚きでした。同時にマクダイアミッド先生の無理な提案を受け入れてよかったと思った出来事でした。

福井先生一門の研究者との共同研究

この国際会議に出席されていた山邊時雄《やまべときお》先生が、ポリアセチレンのドーピング結果に大変興味を抱かれ、一九七七年九月に私が米国から帰国して間もないころから、福井先生一門の山邊先生を始め田中一義《たなかかずよし》、赤木和夫《あかぎかずお》の皆さんを通じて、共役系高分子に興味をもたれていた福井謙一先生と共同研究を行うことになりました。ちなみに、福井先生は一九六二年に「共役化合物の電子状態と化学反応に関する研究」で日本学士院賞を受賞されていることからも分かるように、早くから共役系高分子にも興味をもっておられたのです。

共同研究は実験と理論の同時進行で行われ、当時私が所属していた東京工業大学資源化学研究所や後に異動した筑波大学の実験室に、山邊時雄、田中一義、赤木和夫、福井研究室の院生の皆さんに来ていただいて実験を行う一方、ポリアセチレンそのものやドープしたポリアセチレンの電子状態などを調べる理論研究は京都大学で行われ、研究の成果は福井先生のお名前も入った七報の学術論文として発表することができました。

一抹の気がかり

多くの研究仲間や一緒に研究をした学生たちに恵まれ、三四年間にわたる充実した研究ができたことを感謝しながら二〇〇〇年三月に筑波大学を停年退官しました。その一方で、退官を間近に控えた数年間、これまでの研究や研究室の整理を続けながら、心の奥底にオリのように溜《た》まっていた一抹の気がかりと三四年間におよんだ研究生活について反省を覚えることがありました。

一抹の気がかりというのは中学校の卒業文集に、「新しいプラスチックを合成したい」と書いたことでした。中学生のころの想いは、それまでは知られていなかった導電性高分子の合成という予想外の形で実現しましたが、退官を期にその想いがどのように書き綴られていたか、その全文を知りたかったのです。しかし、先に述べたような理由でその文集はとうの昔になくしており、知るすべはありませんでした。

受賞で再認識した「将来の希望」

大学を退いてから半年後の一〇月一〇日夜遅くに、メディアから電話があり、マクダイアミッド先生、ヒーガー先生とともにノーベル化学賞の受賞者に選ばれたという知らせを受けました。電話嫌いの私に代わって電話を受けたのは妻でしたが、とっさに思い浮かべたのは、福井先生が受賞された折のメディアの取材騒動とその後のお忙しさでした。福井先生のご受賞は、うわさにものぼらなかった日本人の受賞、しかも初の化学賞受賞ということもあって、メディアに

図7　2000年12月14日、スウェーデン南部リンショーピンのザラーネック先生のお宅にて
左から、筆者、ヒーガー先生、マクダイアミッド先生

よる取材の嵐にさらされ、その後、責任のある数々のお仕事を引き受けられ、これによって、いのちを縮められたのではないかと懸念するほどでした。まさにその嵐がわが身に降りかかることを恐れて、この際、頭を冷やさなければと考えてその夜はメディアには一切対応せず床につきました。

次の朝、驚いたことにとうの昔になくしたあの卒業文集に書いた作文の全文が、受賞のニュースとともに各社の朝刊に掲載されていたのです。卒業記念文集は『みちしるべ』（図8）という冊子であり、私が書いた文章は「将来の希望」と題した一〇行余の短いものであることを改めて知りました。「大学へ入って化学や物理の研究をしたい。プラスチックを研究して欠点を取りのぞいたり、新しいプラスチックを作ったりしたい。熱に弱い欠点をのぞき、安価に作れるようになったら、社会の人々にどんなに喜ばれる事だろう。日常品のあらゆる方面に利用されるだろう。僕は以上の事を将来の希望としたい」という趣旨でした。

邪念もなく欲得もまだ知らない中学三年生が思い描いた希望は、その後、半世紀も経たないうちに予想を遥かに上回る速さで展開しました。

翌年の二〇〇一年に化学賞を受賞した野依《のより》良治《りょうじ》先生も、中学生のときに父親に連れられて見学したナイロンで作られた新製品を披露する発表会で、ナイロンは水と石炭と空気から作られることを知り、化学者の道を志したそうです。当時、出回りはじめたばかりのポリ塩化ビニールやナイロンなどのプラスチックは、今でいう新素材そのもので、さまざまな家庭用品などに使われ始め、石油化学工業が成長を始めた時代でした。

図8　高山市立第二中学校第五回卒業記念文集『みちしるべ』

便利さに潜んだ弊害──ダイオキシンやマイクロプラスチック──

母が弁当箱を包んでくれたポリ塩化ビニールの風呂敷は、熱に弱いという欠点はありましたが、使い勝手がよい材料としてプラスチックは、家庭用品などの民生用ばかりでなく工業用にも広く使われるようになりました。ところが、プラスチックの総生産量がピークを迎えた一九九七年前後に、焼却により猛毒のダイオキシン類が発生すること、軟質の塩ビ製品に使われるフタル酸系可塑剤《かそざい》が環境ホルモンとして疑われること、などが明らかにされました。セルロースやタンパク質などの天然高分子と違って、自然界では分解されない合成高分子は使い終わった後は可燃ごみとして焼却するほかはありません。

「安価に作れるようになったら、社会の人々にどんなに喜ばれる事だろう。日常品のあらゆる方面に利用されるだろう」と、『みちしるべ』に書いたそのプラスチックが公害の元凶としてやり玉に挙がったのです。高分子合成に携わった科学者として、これらの出来事は青天《せいてん》の霹靂《へきれき》でした。

ベトナム戦争で米軍が散布した枯葉剤は、高濃度のダイオキシンを含んでおり、枯葉剤を浴

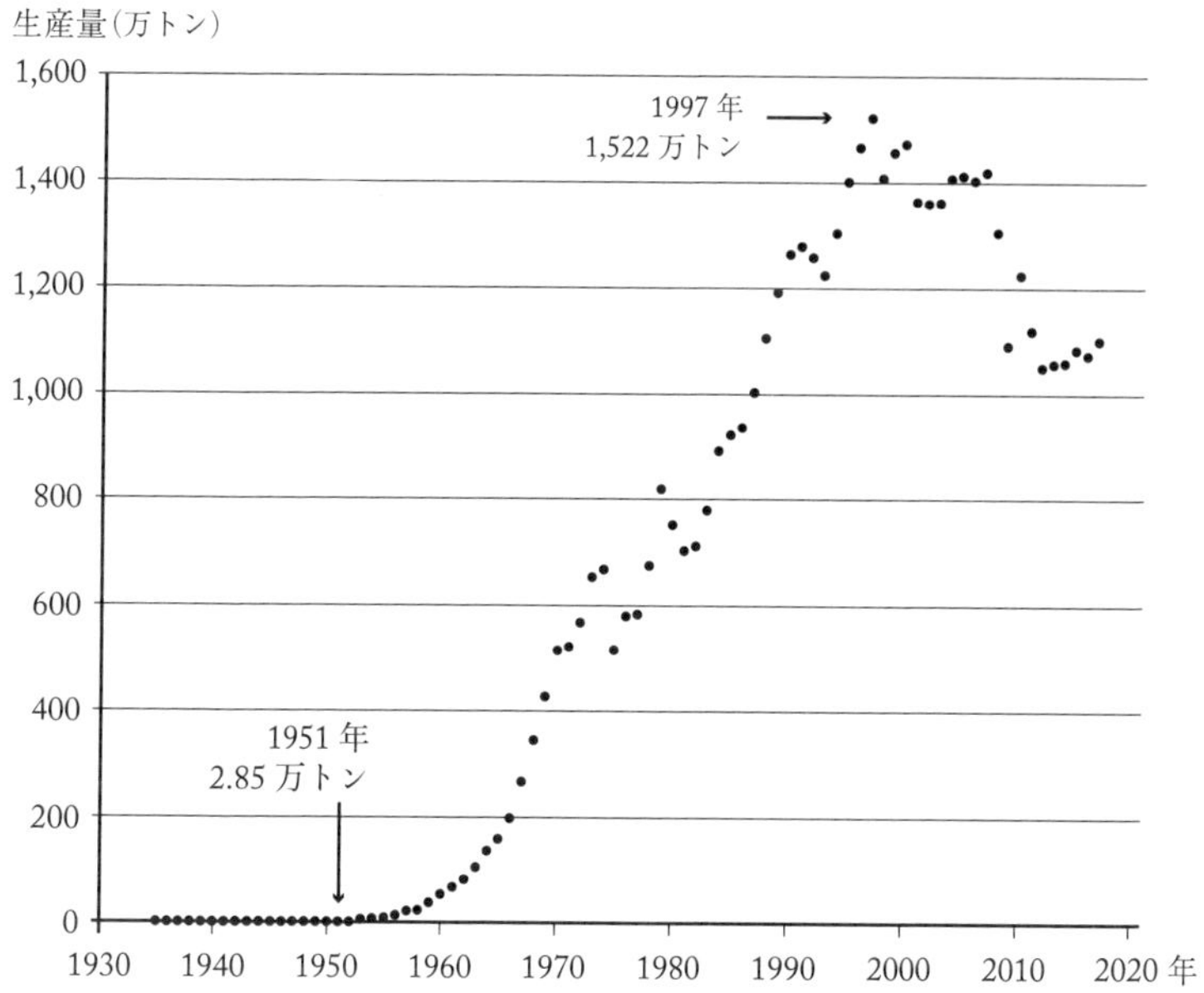

図9　プラスチックの年次生産量（日本プラスチック工業連盟の資料データから作成）

びた兵士や住民ががんや重篤な病気で死亡するばかりでなく、流産や死産、先天性異常児の出産などが多発したことがたびたび報道されたこともあって、国民のダイオキシンに対する関心は高かまりました。政府は一九九九年にダイオキシン類対策特別措置法を制定して、国民の健康の保護を図るため、ダイオキシン類による環境汚染の防止やその除去などに必要な規制などを定めました。

この特別措置法には、国や地方公共団体、事業者の責務に加えて第五条に国民の責務が「国民は、（中略）ダイオキシン類による環境の汚染の防止又はその除去等に関する施策に協力するように努めるものとする」と記されています。この条項のためかどうか分かりませんが、町なかでの落ち葉焚きや楽しい焼き芋さえはばかられるようになったのは、いささか行き過ぎではないかと思ったほどでした。

その後、ダイオキシン類の発生を極力抑《おさ》える廃棄物焼却炉の改良、分別回収やリサイクル制度の広がりによる再利用化など、産・官・市民の努力が一定の功を奏して一件落着の感がありますが、油断は禁物でした。

もう一つの深刻な事態が明らかになってきたからです。大きさが五ミリ以下の微小なプラスチックの破片、いわゆるマイクロプラスチックによる海洋汚染です。環境分野における国連の主要な機関として、一九七二年に設立された国連環境計画が二〇一四年に出した「世界で新たに生じている環境問題」と題する報告書のなかにも問題点が盛り込まれました。また、二〇一五年ドイツのエルマウで開催されたG7サミットの首脳宣言でも、その付属書で海洋ごみ問題に対処するためのG7行動計画が明記され、海洋ごみ、特にプラスチックごみが世界的課題を提起していることを認識するとして、「マイクロプラスチック」の問題が取り上げられました。海洋汚染の全体像や生態系に及ぼす影響などは、科学者や技術者による今後の解明に期待するしかありませんが、被害が広がる前に地球規模の広がりと問題の深刻さを認識するとともに、私たちもプラスチックの使い方、廃棄の仕方などについて改めて考える必要があります。科学・技術の進歩が生活を豊かにする反面、その進歩がもたらした負の側面も少なくありません。地球温暖化のように地球規模の人為変化をもたらすに至っています。科学・技術がもたらした負の側面について、例を挙げるとキリがありませんが、すぐに思い出すのは原子力の利用です。

原子核分裂に伴って放出される莫大なエネルギーは原子力発電として利用されている一方、むしろ原子力発電という平和利用に先駆けて、極めて強力な兵器として一九四五年八月に広島、長崎で使われ、その有効性を顕示すると同時にその非人道性を世界に知らしめました。その後、米ソ冷戦下で生まれた「核兵器を保有することが戦争を抑止する」という核抑止論が、冷戦の終結を経た今日、非人道的兵器という烙印《らくいん》が押されながらも、それ故になお核保有国や潜在核保有国の間に根強く生き続けているというのは何という皮肉なことでしょうか。

科学・技術がもたらした負の側面を解決するのもまた科学・技術ですが、それだけでは解決できない場合が圧倒的に多いような気がします。「核抑止力」という呪縛《じゅばく》から脱却《だっきゃく》するために必要なのは科学・技術そのものではなく、科学・技術をどう考えるかという人間の英知そのものであることに思いを致すべきです。

なぜ化学を学ぶのか――ポーリングの教科書――

私が学部学生から院生、助手時代に使った化学の教科書が今も手元にあります。一九五四年にノーベル化学賞、一九六二年にノーベル平和賞（受賞したのは一九六三年）を受賞したライナス・ポーリング（Linus C. Pauling 一九〇一〜九四 図10）が著した化学の教科書『われらの科学 改訂版 化学I』（金関義則・三田達・小沢丈夫訳、平凡社。原著は *College Chemistry 3rd ed. An Introductory Textbook of General Chemistry* by Linus Pauling）です。

その第一章「化学と物質」の冒頭に、ベンジャミン・フランクリン（Benjamin Franklin 一七〇六〜九〇 図11）がジョゼフ・プリーストリー（Joseph Priestley 一七三三〜一八〇四 図12）に宛てた一七八〇年二月八日付けの手紙の一部が引用されています。この手紙を教科書に掲載することにより、ポーリングは化学を学ぶ学生たちに向けて、「なぜ化学を学ぶのであろうか」という根本的な問いを投げかけています。これに答える重要な理由

図10 ライナス・ポーリング

図11　ベンジャミン・フランクリン

図12　ジョゼフ・プリーストリー

について、ポーリングはmatterという言葉を使って「化学および類縁する科学を通じてこそ、物質に打ち勝つ人間の力、精神の力が得られる」とするフランクリンの言葉を、化学を学ぶ若い人たちに伝えたかったのでしょう。

フランクリンはアメリカ独立宣言の起草者の一人でもあり、日本では雷の研究で知られた科学者です。プリーストリーはイギリスの神学者、哲学者、化学者で、一七七四年に酸素の存在を認め、ラヴォアジエの燃焼理論の確立に大きく貢献したことが知られています。

その手紙が二三八年後の今でも残っていて、インターネット上に公開されているというのは大変な驚きであり、素晴らしいことです。公開された手紙を読んでみると、ポーリングの引用はこの手紙の初めの部分を抜粋していることが分かります。

自然科学が急速に進歩しているのをみると、ときどき私は少し早く生まれすぎて残念であると思うことがあります。今後、一〇〇〇年の間に、物質を支配する人間の力がどのような高さに到達するかは、想像することもできません。どうか道徳が自然科学と同じように向上の道をたどり、人間同士がオオカミのように争いあうのをやめ、いま不当にもヒューマニティと呼ばれているものを人類がいつか身につけるようになってほしいものであります。

The rapid Progress true Science now makes, occasions my Regretting sometimes that I was born so soon. It is impossible to imagine the Height to which may be carried in a 1000 Years the Power of Man over Matter. We may perhaps learn to deprive large Masses of their Gravity & give them absolute Levity, for the sake of easy Transport. Agriculture may diminish its Labour & double its Produce. All Diseases may by sure means be prevented or cured, not excepting even that of Old Age, and our Lives lengthened at pleasure even beyond the antediluvian Standard. O that moral Science were in as fair a Way of Improvement, that Men would cease to be Wolves to one another, and that human Beings would at length learn what they now improperly call Humanity. ―

(https://founders.archives.gov/documents/Franklin/01-31-02-0325 から引用。アクセス二〇一九年一〇月)

科学・技術は二〇世紀に急速に発展しましたが、この手紙を読むとフランクリンは、一八世紀の終わり、今から二三八年も前にすでに自然科学が急速に進歩していることを指摘しているのに驚かされますが、それ以上の驚きは道徳もまた自然科学の進歩と同じように向上の道をたどってほしいと願い、オオカミのように人間同士が争いあうのをやめ、ヒューマニティを身につけるようになってほしいと、プリーストリーに書き送っていたことです。

二一世紀初頭の現在、科学・技術はフランクリンの時代とは比較にならないほど目覚ましい進歩を遂げました。二三八年も前にフランクリンにより指摘されたにもかかわらず、いまだに人間はそれに見合うほどには進化していないな、と実感させられます。進化していないどころか逆に退化して、本当の豊かさとは何か、心の豊かさとは何かを忘れてしまったようにさえ思われます。

科学者ではなくても、自然科学の初歩を学ぶことは大切ですが、その際、単に自然科学の知識を学ぶだけでなく、自然科学がどう人間と関わり、自然科学がどう社会に影響を及ぼすかを深く考え、見極める努力が大切だと思います。

福井先生のバンケットスピーチ

そこで思い出されるのはホフマン先生とともに一九八一年ノーベル化学賞を受賞された福井謙一先生のバンケットスピーチ（Banquet speech）です。一九八一年一二月一〇日に行われた受賞式で、福井先生は三分間という短い時間のスピーチの終わりを、あえて日本語で次のように述べられたのです。「科学の研究の応用において何が善で、そして、もしもあるとすれば、何が悪であるかを最も良く見分けるのは科学の先端的な領域に働く最も優れた科学者達です」と。

この箇所だけ日本語で話されたのは、「そこを日本人に直接聞いてもらいたかったからである。その微妙なニュアンスを日本人に伝えるには、英語では不十分ではないかと判断したからである」とご著書『学問の創造』（佼成出版社）の終章「科学と人間の未来」の冒頭（二一五頁）「科学と「倫理規範」」の中でみずから述べておられます。二三八年前にフランクリンがプリーストリーに書き送った内容と相通ずるところがあり、なぜ科学を学ぶかを改めて問われている気がします。

科学・技術成果の社会貢献

冒頭で、「退官を間近に控えた数年間、研究や研究室の整理を続けながら、心の奥底にオリのように溜まっていた一抹の気がかりと三四年間におよんだ研究生活について反省を覚えることがあった」と述べました。「一抹の気がかり」については、幸いなことにノーベル化学賞の受賞がきっかけで解消しました。そこで、最後になりましたが、もう一つの懸念であった「三四年間におよんだ研究生活について反省」についてです。

研究成果は学会や学術雑誌にその都度発表してきましたので、学者としての義務を果たしてきたつもりでいました。一方、大学の教官として最も大切な教育については、私自身は研究よりも若い人を育てる教育が大切で、優先すべきであると考えてきましたが、その教育も恙《つつが》なく行えたと思ってきました。しかし、社会に対して何をしたかを反省してみると、何もしてこなかった、と言わざるを得ません。

大学を退いてからは小学生、中学生、高校生たちに化学ばかりでなく科学全般について関心をもってほしいと願って、各地での講演活動や、時には大人もまじえて、導電性高分子の合成や応用に関する実験教室をあちこちで開いています。

社会に対してはまったく発言も寄与もしてこなかったことを反省して、科学・技術の成果を社会人や社会に適正に受け入れてもらうためにはどうしたらよいか、科学・技術にはどのような負の側面が予測できるか、どう対処すればよいか、などについて、これまでにも増して積極的に発言し、啓発活動を行ってゆきたいと考えています。皆様のご協力をお願いする次第です。

ご清聴ありがとうございました。

福井謙一博士生誕百年記念メモリアルシンポジウム記念講演
二〇一八年一〇月一二日　京都大学百周年時計台記念館

あとがき

落語の三題咄《ばなし》のように、互いに何の関係もないような三つの題目で構成された本となった。当初、いただいた提案は講演録の出版だった。しかし、講演録だけではあまりにも内容が貧弱になりそうなので、これに加えて二つの提案をした。二つのどちらかを入れれば体裁が整うと思っていたところ、出版社の意向で全部を入れることになった。その一つが第1部、もう一つが第2部になった。

第1部は信濃毎日新聞社の依頼に応じて書いたコラム記事である。二〇一六年四月から二〇一七年三月まで、毎月第三土曜日に掲載された文化面のコラム記事「思索のノート」を「自然に学ぶ」と新たに題して再録した。掲載される月を考慮して季節感を盛り込むように折々の想いを記したが、内容は教育と研究に関係する事柄が多い。毎月の記事に種村有希子さんが挿絵を描いてくれた。挿絵を入れることでそれぞれの文章が引き立った。

順番が前後するが、第3部が講演録である。出版の提案をいただいた年にはいくつかの講演を引き受けていた。その中で「福井謙一博士生誕百年記念メモリアルシンポジウム」の記念講演は、福井先生一門との共同研究もあり、思い入れをもって講演内容を練っていた最中でもあったので本書にはふさわしいと考えた。しかし、過去に講演の書籍化を何回か経験した際に感じた二つの難点があって乗り気にはなれなかった。

一つは話した内容をそのまま文章化すると、いかに無駄な喋《しゃべ》り方をしていたかが、あらわになることである。大勢の聴衆に自分の思っていること、考えていることなどを確実に伝えるために、かなりの時間を費やして下準備をしたにもかかわらず、である。大学での授業や講演などで聴衆と対面して話をする場合、板書をしたり、スライドなどを使ったりして、聴衆の様子を見ながら話ができるので、話し方がいささか冗長になっても聴き手はさほど気にはならない。しかし、文章となるとそうはいかない。

もう一つは、貴重な時間を割いて話を聴きに来てくださった参加者への想いである。話をするからには一人でも多くの方々に聴いていただきたいと思うが、教室や講演会場の席数は限られており、限られた数の方々にしか聴いていただけない。授業や講演は聴き手が「時と場所を共有する」ことによって、質問に応じたり文章では伝えられないことをお話したりすることに意義があり、同時に理解に至らなかった点や話の内容について疑問に思っていることなどの質問を受けて応えることができる。つまり双方向である。しかし、書籍は一方向で、読者が内容について質問をするにしても、異議を唱えるにしても手間暇がかかる。

幸い事前に私の意向を汲んでいただき、録音した講演の文字化に当たって、注意深い校正が行えたことにより、「福井謙一博士生誕百年記念メモリアルシンポジウム」の記念講演「高分子合成を志して」を読みやすいかたちに文章化できた。

第2部「日本語で科学を学び、考え、そして創造できる幸せ—先人の努力を糧《かて》に—」は、その冒頭に記したように二〇〇〇年一〇月一一日に、外国人特派員から訊ねられた「ノーベル賞受賞者はアジア諸国に限ると日本人が際立って多いのは何故か」という問いをきっかけに、考え続けてきた事柄をまとめたものである。日本ＩＢＭが一九六九年に創刊した企業広報誌『無限大』を前身とするデジタルメディア『Mugendai（無限大）』に掲載された対談記事「日本語で科学を学び、考えることができる幸せ—ノーベル化学賞の白川英樹博士が語る先人たちへの感謝—」（二〇一七年八月二九日掲載）を軸に書き下ろした。断片的には『月刊国語教育研究』三六八巻（二〇〇二年）の巻頭言「日本語で自然科学を学べる幸せ」や『読売新聞』二〇一六年二月一八日朝刊のコラム「論点」に「日本語で学び、考える科学」などを書いた。中学生のころに国語の教科書で学んだ杉田玄白著『蘭学事始』の一節を思い出し、また、専門の化学に関する蘭書を翻訳した宇田川榕庵や川本幸民の業績を調べているうちに、化学の分野だけでなく自然科学のあらゆる分野に多くの蘭学者や漢方医が関わっていることを知った。今回、これら先人の偉業を自分なりにまとめ直すことで、一人の科学者として、また一人の日本人として日本語で科学を学ぶことの意義を再認識した。

この稿の執筆を終えた直後に、加藤周一と丸山真男が校注した『日本近代思想大系　翻訳の思想』（岩波書店、一九九一年）を読んだ。この大著は明治初期の翻訳について、何故、何を、如何に訳したかに焦点を当てて、原典と訳文を並べて論じた史料集で、明治維新以前の蘭書の翻訳については取り扱っていない。しかし、この書の解説で加藤周一は、「幕末から明治初期にかけて西洋語（主として英語）の文章を、日本語に移すことができたのは、何よりも、日本語の語彙のなかに豊富な漢語が含まれていたからである。漢語は簡潔で、抽象的概念を含み、漢字の新たな組み合わせによって新造語を加えることができる」、「……しかし明治維新前後の翻訳者に有利な条件は、漢語だけではなかった。第二の条件は、蘭学者によるオランダ語文献の翻訳の経験である。すでに初期の訳者の多くは、先ず蘭学に志し、次いで英文に転じ、必要に応じてフランス語その他の西洋語を学んだ。オランダ語から英語へ、英語からフランス語への道は近い。語彙において、文法において、また、その文化的背景において然り」（傍線筆者）と述べて蘭学者の貢献が重要であったことを指摘している。江戸中期から幕末までの蘭学の隆盛が、明治維新後の英語、フランス語、ドイツ語などの西洋語の翻訳に大きく貢献しているのである。この伝統は現在も続いており、現代の私たちはその恩恵にあずかっている。

本書の校正をしている最中の一〇月九日に嬉しいニュースが伝えられた。スウェーデン王立科学アカデミーのノーベル化学賞選考委員会は「リチウムイオン電池の開発」を授賞理由に、吉野彰氏（ほか二名）に二〇一九年ノーベル化学賞を授与すると発表した。

吉野氏の授賞で日本人のノーベル自然科学三賞の受賞は二四人になった。大変喜ばしいことである。彼の受賞は個人的にもいくつか嬉しいことがある。その一つはリチウムイオン電池を開発するに当たって、開発の端緒となった物質の一つが、私の研究成果の一つである金属のような光沢をもつ「薄膜状ポリアセチレン」（一二二頁の図5）だったことである。薄膜状ポリアセチレンは二次電池の正極にも負極にもなるという他の物質にはない性質をもつことが分かっていたが、彼はあえて開発が極端に難しい負極として使う研究を始めた。電池としてすばらしい性能を示したが、しかし、安定性に欠けるなどいくつかの欠点があることに気付き、大変な苦労と長期にわたる探索の末に、ポリアセチレンの代わりに分子骨格が似ている炭素材料を見つけて、リチウムイオン電池の基本構造を確立されたのである。

嬉しいことのもう一つは人と人のつながりである。一九八一年にノーベル化学賞を授賞した福井謙一先生とは、第3部で述べたように、福井先生一門の研究者との共同研究を行ったことでつながっている。吉野氏は福井先生の門下生の一人だった米澤貞次郎先生（一九二四〜二〇〇八）の下で学ばれた、いわば福井先生の孫弟子に当たる。福井先生は若いころに実験化学の分野で研究を始め、後に理論化学に転じて深く研究されたが、理論も実験も同じように大切にされたという。福井―米澤―吉野のつながりの一端に加われたことは研究者冥利に尽きるこの上ない喜びである。

最後になったが、本書出版のきっかけを与えていただいた法藏館と、編集部の今西智久氏に深く感謝申し上げる。

二〇一九年一一月三〇日

白川英樹

白川英樹（しらかわ ひでき）

1936年、東京生まれ。小学校から高校卒業までを岐阜県高山市で過ごす。1961年、東京工業大学理工学部化学工学科卒業。1966年、同大学大学院理工学研究科博士課程修了、工学博士。同年、同大学資源化学研究所助手。1976年、米国ペンシルベニア大学博士研究員。1979年、筑波大学助教授、同教授を経て2000年、停年退官、同大学名誉教授。日本学士院会員、内閣府総合科学技術会議議員（2001~03年）。

1983年「ポリアセチレンに関する研究」で高分子学会賞。1999年「導電性高分子の発見と開拓」で高分子科学功績賞。2000年「導電性高分子の発見と開発」でアラン・マクダイアミッド、アラン・ヒーガー両教授とともにノーベル化学賞受賞。

著書に、『合成金属―ポリアセチレンからグラファイトまで―』（化学同人）、『化学に魅せられて』（岩波新書）、『私の歩んだ道―ノーベル化学賞の発想―』（朝日選書）、『セレンディピティーを知っていますか』（畑田家住宅活用保存会）。共著に、『導電性高分子から何がみえるか』（三田出版会）、『何を学ぶか―作家の信条、科学者の思い―』（読売新聞社）、『ノーベル賞受賞者との対話―中高校生の君たちへ―』（中央公論新社）、『実験でわかる電気をとおすプラスチックのひみつ』（コロナ社）。

自然に学ぶ

二〇二〇年一月一五日　初版第一刷発行

著　者　白川英樹
発行者　西村明高
発行所　株式会社 法藏館
京都市下京区正面通烏丸東入
郵便番号　六〇〇-八一五三
電話　〇七五-三四三-〇〇三〇（編集）
〇七五-三四三-五六五六（営業）

ブックデザイン　森　華
印刷・製本　中村印刷株式会社

ISBN 978-4-8318-5714-9 C0040

老年の豊かさについて【法藏館文庫】　キケロ著、八木誠一・八木綾子訳　八〇〇円

ブッダの小ばなし　超訳 百喩経　釈 徹宗監修 多田 修編訳　一、〇〇〇円

ことばの向こうがわ　震災の影 仮設の声　安部智海著　一、一〇〇円

完全版 宗教なき時代を生きるために　オウム事件と「生きる意味」　森岡正博著　二、二〇〇円

「三国志」の知恵　狩野直禎著　一、八〇〇円

顔真卿伝　時事はただ天のみぞ知る　吉川忠夫著　二、三〇〇円

さあ、がんばろう　平澤 興著　二、二〇〇円

法藏館　価格は税別